D1632326

WOK

Gesund und schnell

WOK

Gesund und schnell

Bridget Jones

BELLAVISTA

A QUANTUM BOOK

ISBN 3-89893-167-6

Dieses Buch wurde produziert von
Quantum Publishing Ltd
6 Blundell Street
London N7 9BH

Titel der englischen Originalausgabe: Stir Fry Cooking

Übersetzung aus dem Englischen:
Franca Fritz und Heinrich Koop, Köln

Printed in Singapore by
Star Standard Industries (Pte) Ltd

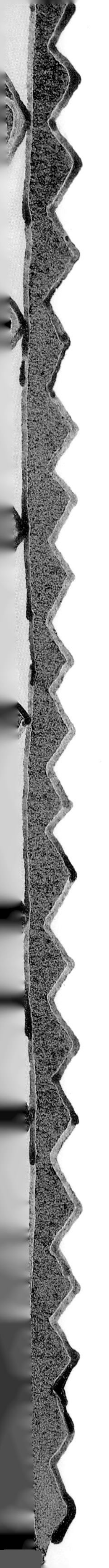

INHALT

VORWORT

Die Technik des Pfannenrührens wird häufig als Garmethode für fernöstliche Speisen oder für besonders »gesunde« Gerichte bezeichnet – und beides durchaus zurecht: Es handelt sich um eine in Asien weit verbreitete und besonders fettarme Zubereitungsart. Dennoch möchte ich Ihnen auf den folgenden Seiten demonstrieren, daß das Pfannenrühren so exotisch oder einheimisch, so gesund oder üppig und so schlicht oder kompliziert sein kann, wie Sie es möchten.

Aus der asiatischen Küche hat sich eine besonders typische Art der Zubereitung und Mischung von Nahrungsmitteln entwickelt, die das Pfannenrühren im Wok dominiert. Aber wenn Sie einige Grundregeln befolgen, lassen sich mit dieser Garmethode eine Vielzahl multi-nationaler Gerichte zubereiten. Im folgenden finden Anfänger Ratschläge zur Auswahl des richtigen Kochzubehörs – wobei nicht nur die idealen Kochgeräte, sondern auch Improvisationsmöglichkeiten vorgestellt werden – sowie einige Hinweise, die beim Kauf einer neuen Pfanne zum Pfannenrühren beachtet werden sollten. Der Rest der Einleitung enthält einfache Grundregeln zur Auswahl der Zutaten und der Gewürze, zur Schneidetechnik sowie zur richtigen Reihenfolge für eine perfekte Zubereitung der Gerichte.

Wenn Sie sich nach dem Lesen der ersten Seiten die Grundregeln dieser schnellen Garmethode angeeignet haben, werden Sie die in diesem Buch aufgeführten Rezepte hoffentlich als Erweiterung Ihres bereits vorhandenen kulinarischen Repertoires betrachten, und mit neuen Ideen oder interessanten Würzmischungen zu experimentieren beginnen.

Nutzen Sie die Vielfalt der angebotenen Zutaten aus aller Welt – exotische Gemüse und Früchte, duftende Gewürze und Dauerwaren, verschiedene Getreidesorten und schnell zubereitete Meeresfrüchte, Geflügel oder Fleisch. Wenn Sie Ihre Rührpfanne als die Grundlage einer praktischen und hochmodernen Kochkunst betrachten, mit der Sie sowohl eine ausgewogene, gesunde Alltagskost zubereiten als auch in Minutenschnelle elegante Menüs zaubern können, wird sie sich in kürzester Zeit zu dem am häufigsten verwendeten Gegenstand Ihrer Küche entwickeln. Ein Hoch auf schnelle Küche und gutes Essen – bon appetit!

EINFÜHRUNG

Zubehör – Die wichtigsten Küchengeräte zur Vorbereitung und Zubereitung

Das wichtigste Arbeitsgerät ist natürlich Ihre Pfanne – und deren wichtigste Eigenschaft ist ihre Größe. Eine gute Pfanne muß eine große Menge von Zutaten aufnehmen können und gleichzeitig genügend Raum zum Umrühren und Wenden der Lebensmittel bieten. Die hier vorgestellten Rezepte enthalten keine genauen Angaben zur Pfannenart und -größe, da dies unnötig ist; wenn Sie mit dem Pfannenrühren noch nicht so vertraut sind, sollten Sie am besten den folgenden Text lesen, bevor Sie sich an die Rezepte wagen.

Der Wok

Ein Wok ist die für die meisten Arten des Pfannenrührens am besten geeignete Pfanne. Man erhält ihn in einer Vielzahl von Größen und Sorten, die vom traditionellen Wok aus Eisen bis zu elektrischen Ausführungen reichen.

WOKS AUS EISEN ODER STAHL Der traditionelle Wok besteht aus dünnem, unbeschichtetem Eisen oder Stahl. Er ist wie eine hohle Halbkugel geformt und besitzt einen Holzstiel, an dem er sich mit einer Hand anheben, schwenken und schütteln läßt, während die andere Hand frei bleibt, um mit Hilfe einer Schöpfkelle die Zutaten umzurühren. Diese kuppelförmig gewölbte Pfanne paßt genau auf die offenen Feuerstellen eines chinesischen Restaurants; in einer normalen Küche allerdings sollte man seinen Wok auf einen Metallring setzen, den man auf die Kochmulde oder über die Gasflamme stellt. Bei manchen Gasherden läßt sich der Wok aber auch auf den Rippenrost stellen, so daß der Metallring überflüssig wird.

Der traditionelle Wok leitet Hitze besonders gut, bietet eine große Oberfläche zum Garen und reagiert sehr schnell auf jede Veränderung der Kochtemperatur. Allerdings muß ein solcher Wok aus Eisen oder Stahl regelmäßig benutzt und mit Öl ausgerieben werden, damit er nicht anrostet. Ein neuer Wok sollte vor dem ersten Gebrauch mit heißem Spülwasser ausgewaschen werden, um sämtliche Reste einer möglichen Beschichtung zu entfernen, bevor man ihn vorbereitet oder »einraucht«. Zu diesem Zweck reibt man den Wok mit etwas Öl aus und erhitzt ihn dann, bis das Öl raucht, aber nicht brennt. Anschließend wischt man den Wok mit saugfähigem Küchenpapier aus. Auch die Außenflächen und die Metallflächen am Handgriff müssen eingeölt werden. Darüber hinaus sollten Sie Ihren Wok vor und nach jedem Gebrauch mit saugfähigem Küchenpapier auswischen und mit etwas Öl einreiben.

Abhängig von den zubereiteten Nahrungsmitteln gibt es zwei Möglichkeiten zur Reinigung eines Woks. Im Idealfall wischen Sie ihn mit Küchenpapier aus, streuen etwas Salz hinein und gießen dann ein wenig Öl nach. Danach erhitzen Sie

Zwei Arten des Woks – die traditionelle Form mit langem Holzstiel und eine Form mit zwei Tragegriffen. Mit der Bambusbürste können Sie Ihren Wok einölen, und die Schaumlöffel erweisen sich bei manchen Rezepten als nützliches Zubehör.

das Ganze und nehmen den Wok vom Feuer. Nun kann der Wok mit einem saugfähigen Küchenpapier gereinigt werden – das Salz dient als Reinigungsmittel und entfernt eventuelle Nahrungsmittelreste. Wenn das Öl und das Salz ausgewischt sind, wird der Wok mit ein wenig frischem Öl erneut erhitzt und danach endgültig gereinigt. Diese Reinigungsmethode mit Öl und Salz eignet sich für einen Großteil aller mit Öl zubereiteten Gerichte. Falls die Nahrungsmittel jedoch einen Braten- oder Saucenrand hinterlassen haben, muß der Wok ausgewaschen, getrocknet und erneut eingeraucht werden.

Ein Wok aus Eisen oder Stahl läßt sich besonders einfach lagern, wenn man ihn gut einölt und in eine Plastiktüte steckt, die am Stiel mit einem Gummiring verschlossen wird. Ich verwende meinen traditionellen Eisenwok für asiatische und Gemüsegerichte sowie Speisen mit einem geringen Anteil an Fleisch und Getreide; er eignet sich jedoch nicht zum Pfannenrühren von Früchten.

WOKS AUS EDELSTAHL UND MIT ANTIHAFT-BESCHICHTUNG Diese Woks sind wesentlich pflegeleichter als ein Wok aus Eisen oder Stahl: Sie können mit heißem Spülwasser ausgewaschen, abgetrocknet und entsprechend der Vorschriften des Herstellers aufbewahrt werden.

Die Qualität dieser Rührpfannen kann extrem unterschiedlich ausfallen, aber im allgemeinen reagieren sie nicht ganz so schnell auf Veränderungen der Kochtemperatur wie ein Eisenwok. Im Gegensatz zu den Eisenwoks, bei denen das billigste Modell (aus dem Asienladen) häufig das beste sein kann, ist der Preis bei einem Edelstahlwok ein guter Indikator für die Qualität.

Achten Sie auch auf die Größe – viele Edelstahlmodelle sind kleiner als ein traditioneller Wok und besitzen einen abgeflachten Boden, so daß sie eher an eine Pfanne als an einen Wok erinnern. Ein Wok mit einem kleinen, relativ flachen Boden ist nicht unbedingt die beste Wahl – in einem solchen Fall entscheiden Sie sich besser für eine große, konventionelle Bratpfanne mit hohen Seitenwänden, die einen größeren Durchmesser besitzt. Lesen Sie sich vor dem Kauf einer solchen Pfanne die Gebrauchsanleitung gründlich durch: Einige beschichtete Pfannen (z.B. Teflonpfannen) sind nicht für das Kochen bei großer Hitze (und damit auch nicht für das Pfannenrühren) geeignet.

Preiswerte Teflon-Woks verschleißen relativ schnell, wenn man sie regelmäßig über großer Hitze einsetzt und Nahrungsmittel unter ständigem Rühren kocht (selbst wenn man dabei das richtige Kochzubehör für beschichtete Pfannen verwendet).

ELEKTRISCH BEHEIZBARE WOKS Ich habe nur wenig Erfahrung mit diesen Geräten, war aber bei einem Test von der guten Qualität des Resultats angenehm überrascht. Der Wok reagierte wesentlich feinfühliger auf Temperaturveränderungen, als ich erwartet hatte und eignete sich auch für große Nahrungsmittelmengen. Ein solches Gerät kann auf jeder Arbeitsfläche aufgestellt werden – dies ist zwar für Puristen eine schreckliche Vorstellung, aber in vielen Küchen sehr vorteilhaft. Achten Sie darauf, die Angaben des Herstellers bezüglich Reinigung und Gebrauch besonders sorgfältig zu befolgen.

Bratpfannen und Kasserollen

Zum Pfannenrühren benötigt man nicht unbedingt einen Wok; eine große, tiefe Bratpfanne oder Kasserolle eignet sich ebenfalls für diese Garmethode. Am besten entscheidet man sich für eine Pfanne mit schräg ansteigenden Seitenwänden ohne sichtbaren Übergang zum Boden, in der sich die Zutaten besonders gut wenden lassen. Bei einer Kasserolle handelt es sich um eine Pfanne mit mindestens 5 cm hohen Seitenwänden, die mit einem Deckel verschlossen werden kann. Vor allem große Kasserollen sind zum Pfannenrühren ideal, weil die Höhe der Seitenwände verhindert, daß die Zutaten beim Rühren und Kochen aus der Pfanne spritzen.

Bei einer Sauteuse oder Schwenkpfanne handelt es sich im allgemeinen um eine große Pfanne mit hohen Seitenwänden, die sich besonders gut zum Pfannenrühren eignet, da das Sautieren dieser Garmethode stark ähnelt: In beiden Fällen gart man die Zutaten bei großer Hitze und rührt sie (beim Sautieren allerdings weniger stark) während des Garens durch.

Schwere, beschichtete Pfannen aus Gußeisen können ebenfalls für das Pfannenrühren verwendet werden; allerdings muß man sie langsamer erhitzen und eher auf mittlerer als auf hoher Temperatur halten. Falls Ihre Pfanne nach den Angaben des Herstellers nicht leer erhitzt werden darf, sollten Sie sie vorher mit etwas Öl oder Fett ausreiben. Wenn eine gußeiserne Pfanne einmal erhitzt ist, können Sie sie auch zum Pfannenrühren verwenden; diese Pfannen erreichen jedoch keine starke Hitze und reagieren nur langsam auf Temperaturveränderungen. Allerdings eignen sich diese Gußeisenpfannen zum Pfannenrühren von Früchten und anderen Zutaten, die nicht unbedingt bei starker Hitze gegart werden müssen.

EIGENSCHAFTEN EINER GUTEN PFANNE

- Material und Beschichtung sollten großer Hitze standhalten.
- Viel Platz zum Kochen und/oder genügend Raum, um bereits gegarte Zutaten auf eine Seite zu schieben (zum Beispiel die Seiten eines Woks).
- Hohe Seitenwände, damit die Zutaten während des Rührens nicht herausfallen können.
- Ein langer, kräftiger Stiel, der nur schlecht Hitze leitet und beim Kochen kühl bleibt.
- Eine Pfanne mit Deckel kann besonders nützlich sein, wenn Sie das Pfannenrühren als Teil eines längeren Kochvorgangs einsetzen – für den Wok eignet sich ein gewölbter Deckel aus Edelstahl, da herkömmliche Topfdeckel zu schnell rosten.

DAS SOLLTEN SIE BEACHTEN

Auch wenn ein Wok das ideale Küchengerät zum Pfannenrühren darstellt, macht ein wenig Improvisation den Reiz und die Kunst des Kochens aus. Wenn Sie wirklich nur eine einzige Pfanne besitzen, und diese für hohe Temperaturen und eine große Menge von Zutaten geeignet ist, sollten Sie das Pfannenrühren einfach mal ausprobieren!

Vorbereitung und Küchengeräte

Die Vorbereitung der Zutaten ist ebenso wichtig wie die richtige Garmethode und erfordert gutes Schneidwerkzeug.

HACKBRETTER Am besten verwenden Sie ein sehr großes Hackbrett, das in heißem Spülwasser abgeschrubbt werden kann. Aus Gründen der Nahrungsmittelhygiene sollten Sie daran denken, daß ein Holzbrett Feuchtigkeit aufnimmt und leicht zu beschädigen ist, so daß Essensreste daran haften bleiben und das Bakterienwachstum begünstigen. Wenn Sie ein hölzernes Hackbrett besitzen, sollten Sie es in sehr heißem Wasser mit einer leichten Bleichlösung oder einem Scheuermittel abschrubben. Ein Holzbrett muß NACH JEDEM GEBRAUCH mit Wasser abgewaschen und gründlich getrocknet werden.

Hackbretter aus Kunststoff absorbieren keine Feuchtigkeit und sind daher etwas hygienischer. Dennoch sollten auch sie nach jedem Gebrauch abgewaschen und gereinigt werden.

Denken Sie daran, daß Ihr Brett groß genug sein muß, um eine erhebliche Menge von Zutaten darauf schneiden zu können. Es gibt nichts Frustrierenderes als die vergeblichen Versuche, gleichmäßige Stücke schneiden zu wollen, wenn zwischen all den Zutaten kaum genügend Platz vorhanden ist, um die Spitze seines Messers auf die Oberfläche des Hackbretts zu setzen!

MESSER Ein gutes Messer ist unerläßlich – ich empfehle ein mittelgroßes oder großes Küchenmesser mit einer starken Klinge, die sich zu einer scharfen Schnittkante verjüngt. Kaufen Sie niemals ein Messer allein aufgrund seines Aussehens oder der technischen Informationen – nehmen Sie es in die Hand, bewegen sie es wie beim Schneiden und versuchen Sie, ein Gefühl für seine Handhabung zu entwickeln. Vor dem eigentlichen Kauf sollten Sie verschiedene Messerarten ausprobieren und sich dann für ein gut ausbalanciertes Messer entscheiden, das angenehm in der Hand liegt. Holzgriffe sehen zwar attraktiv aus, benötigen aber zusätzliche Pflege und sind mit Sicherheit nicht spülmaschinenfest – man sollte sie eigentlich niemals in Wasser legen, außer für eine kurze (und gründliche) Reinigung. Darüber hinaus müssen Holzgriffe gelegentlich eingeölt werden. Wenn diese Arbeiten nicht zu Ihrer täglichen Küchenroutine passen, ist ein qualitativ hochwertiges, spülmaschinenfestes Küchenmesser die bessere Wahl. Aber wofür Sie sich auch entscheiden – das Messer sollte immer eine durchgehende Klinge besitzen, die mit dem Griff vernietet ist.

Zum Schärfen Ihres Küchenmessers benötigen Sie einen Wetzstahl von guter Qualität – am besten mit einem Schutz für Ihre Hand, falls die Klinge einmal bis zum Handgriff hinuntergleitet. Einige Asienläden und Haushaltswarenhandlungen verkaufen Schleifsteine; am besten entscheiden Sie sich für ein Modell mit einer groben und einer feinen Seite.

Es gibt verschiedene Möglichkeiten, ein Messer am Wetzstahl zu schleifen: Ziehen Sie die Messerklinge über die Oberfläche des Stahls, wobei Sie von sich weg arbeiten sollten. Dabei setzen Sie das Messer an die Spitze des Wetzstahls, so daß das breite Ende der Klinge nach oben weist; dann ziehen Sie die Klinge nach unten am Stahl entlang, bis die Spitze des Messers am Ende des Wetzstahls angekommen ist. Anschließend wiederholen Sie den Vorgang mit der Klinge unter dem Wetzstahl, um die andere Seite der Klinge zu schärfen. Sie können aber auch die Messerspitze an der Spitze des Wetzstahls ansetzen und den Wetzstahl nach unten ziehen, bis dessen Spitze das untere Ende der Klinge berührt. Auch hierbei wiederholen Sie den Vorgang mit der Klinge unter dem Wetzstahl.

Wenn Sie im Umgang mit Messern völlig unerfahren sind (oder zu Unfällen neigen), halten Sie den Wetzstahl am besten senkrecht und drücken Sie seine Spitze auf ein festes Brett oder eine Arbeitsoberfläche. Nun ziehen Sie das Messer an ihm herab – auf diese Weise verhindern Sie, daß die Klinge in Richtung Ihres Handgelenks gleitet.

Unabhängig von der Methode sollten Sie diesen Vorgang mehrmals wiederholen, bis die Klinge scharf ist, und das Messer vor Gebrauch abwaschen und abtrocknen. Am besten schärfen Sie Ihre Messer regelmäßig, im Idealfall vor jedem Gebrauch. Falls Sie größere Mengen an Zutaten schneiden wollen, sollten Sie sie auch während der Vorbereitungen nachschärfen.

RÜHRGERÄTE Eine große Schöpfkelle oder ein flacher Metallspatel mit kräftigen Handgriffen sind die perfekten Rührgeräte für einen traditionellen Eisenwok. Wenn Sie einen beschichteten Wok benutzen wollen, benötigen Sie einen geeigneten Kunststoffspatel oder einen Spatel mit Spezialbeschichtung. Statt dessen können Sie aber auch einen Schaumlöffel (oder Sieblöffel aus dem Asienladen) verwenden.

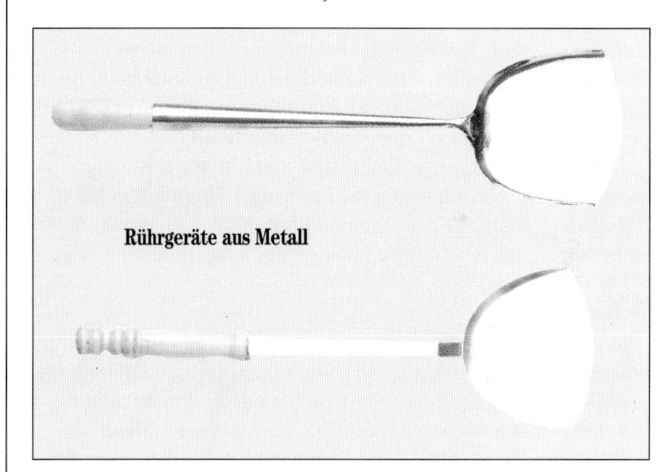
Rührgeräte aus Metall

NOTWENDIGES ZUBEHÖR Bevor Sie mit dem Kochen beginnen, sollten alle Zutaten vorbereitet sein; stellen Sie also eine Auswahl von Schalen oder Schüsseln bereit, in denen die Zutaten gelagert werden können. Auch Dessertschalen oder Kunststoffdosen kommen in Frage – die Größe und Anzahl der benötigten Behälter richtet sich ganz nach der Mahlzeit, die Sie zubereiten wollen.

Nur das Beste ist gut genug – Die Auswahl der Zutaten

Zwar bringt die schnelle Zubereitung das Aroma der einzelnen Nahrungsmittel am besten zur Geltung, aber die richtige Auswahl der Zutaten ist von größter Bedeutung.

Fisch und Meeresfrüchte

Die meisten Fische und Meeresfrüchte sind schnell gar und eignen sich aus Zeitgründen sehr gut zum Garen im Wok. Allerdings sollten Sie keine dünnen Fischfilets verwenden, die beim Kochen leicht auseinanderbrechen könnten. Greifen Sie lieber auf dickere Portionen fester Weißfischarten, Garnelen, Jakobsmuscheln, Muscheln, Austern oder Tintenfische zurück, die sich alle sehr gut zum Pfannenrühren eignen.

Kaufen Sie frischen Fisch, der noch feucht ist und ein helles, festes Fleisch besitzt; vermeiden Sie jeglichen Fisch, der stark riecht oder stumpf und alt wirkt. Am besten gehen Sie zu einem zuverlässigen Fischhändler, der Ihnen über den Kauf hinaus auch einen Großteil der Vorbereitung abnimmt.

Geflügel

Alle Arten von Geflügel eignen sich zur Zubereitung im Wok, denn ihr Fleisch gart schnell und bleibt sehr zart. Edelstücke aus dem Brustfilet bieten die beste Qualität.

Fleisch

Zarte Fleischstücke, die zum Grillen oder Braten empfohlen werden, eignen sich ebenfalls zur Zubereitung im Wok. Vermeiden Sie zähere Fleischarten, die ein längeres Schmoren oder Dämpfen erfordern. Im allgemeinen ist Schweinefleisch zart genug, aber einige Stücke erfordern ein genaueres Zuschneiden, um Fett, Knorpel und Sehnen zu entfernen. Auch Lammfleisch läßt sich sehr gut zum Pfannenrühren verwenden; am besten eignen sich Lenden, Filet oder Keule.

Entfernen Sie das überschüssige Fett und allen Knorpel, bevor Sie das Fleisch gegen die Faserung in dünne Stücke schneiden. Wenn Sie papierdünne Fleischstücke benötigen, sollte das Fleisch beim Zuschneiden noch halb gefroren sein.

Gemüse

Die meisten Gemüsesorten eignen sich zum Pfannenrühren; allerdings müssen sie, je nach Garzeit, unterschiedlich lang in der Pfanne bleiben. Beispielsweise benötigen Wurzel- und Knollengemüse wie etwa Kartoffeln eine längere Garzeit als Bohnensprossen oder Paksoi. Darüber hinaus spielt auch das Zuschneiden der Gemüse für die Länge der Garzeit eine Rolle.

Verwenden Sie ausschließlich frisches Gemüse in hervorragendem Zustand, da qualitativ schlechtere Zutaten für das Garen im Wok ungeeignet sind. Achten Sie auf festes, unbeschädigtes Gemüse mit knackigen Blättern und einer frischen Farbe und kaufen Sie kein beschädigtes oder zerdrücktes Gemüse, kein weiches oder runzliges Wurzelgemüse und keinen Kohl oder andere Grüngemüse, die verblaßt, vergilbt oder erschlafft aussehen. Paprika, Tomaten und Auberginen sollten immer fest und von leuchtender Farbe sein.

Hülsenfrüchte und Getreide

Auch gekochte Hülsenfrüchte und Getreidesorten lassen sich im Wok zu schmackhaften Mahlzeiten verarbeiten. Dabei ist es wichtig, daß diese Zutaten nicht zu lange gekocht werden sollten, bevor man sie in den Wok gibt, da sie sonst brechen oder sehr weich werden könnten.

Wenn Sie Hülsenfrüchte oder Getreide vor dem Pfannenrühren gekocht haben und danach abkühlen lassen, achten Sie darauf, daß Sie sie beim Kochen im Wok gründlich erhitzen, damit alle Bakterien zerstört werden, die sich beim Abkühlen und erneuten Erwärmen gebildet haben könnten.

Obst

Festes Obst läßt sich sehr gut im Wok garen; dagegen sollten weichere Obstsorten erst ganz zum Schluß hinzugegeben werden. Verwenden Sie frisches Obst von bester Qualität und bereiten Sie es erst kurz vor dem Garen vor – es sei denn, Sie müssen es laut Rezept einweichen.

Selbst getrocknete Früchte und Dosenobst lassen sich im Wok zubereiten – bei Trockenobst sollten Sie am besten die Sorten verwenden, die sofort verzehrt werden können.

Öle und Fette

Die Wahl des richtigen Fetts ist von großer Bedeutung, nicht nur für das Aroma der Speisen, sondern auch für eine gelungene Zubereitung. Fette schmelzen bei unterschiedlichen Temperaturen, d.h. daß sowohl Öl, Schweineschmalz und Butter als auch Margarine bei unterschiedlicher Hitze flüssig werden.

Wenn man Fett erhitzt, finden bei verschiedenen Temperaturen unterschiedliche chemische Prozesse statt, die das Erscheinungsbild des Fetts und in manchen Fällen auch seinen Geschmack verändern. Wenn Sie noch nie bemerkt haben, wie Öl auf Erhitzen reagiert, sollten Sie einige Proben erwärmen und das Ganze genau beobachten. Butter beispielsweise wird braun und verbrennt bei niedrigeren Temperaturen als manche Öle, obwohl ihre Schmelztemperatur höher liegt.

Geklärte Butter eignet sich besser für das Pfannenrühren, da sie sich nicht so schnell auflöst. Man erhält sie, indem man Butter zum Schmelzen bringt und sie sanft simmern läßt, bis sich ein Sediment absetzt und das Brutzeln nachläßt. Zu diesem Zeitpunkt haben sich die festen Bestandteile abgesetzt, und der Wasseranteil ist verdunstet (das Brutzeln setzt sich so lange fort, bis das Wasser völlig verdampft ist). Danach läßt man die Butter durch ein Seihtuch laufen; vor dem Lagern abkühlen.

Margarine ist nicht so hoch erhitzbar wie Butter und eignet sich daher nicht zum Pfannenrühren. Das gleiche gilt für Halbfettmargarine und Diätfette.

Olivenöl raucht schon bei verhältnismäßig geringen Temperaturen; allerdings kann man es zum Pfannenrühren vieler Zutaten und zum Aromatisieren einiger Speisen verwenden.

Erdnußöl läßt sich dagegen etwas höher erhitzen, bevor es zu rauchen beginnt. Aus diesem Grunde ist es ideal für Kochzutaten, die schnell gegart werden müssen und eine knusprige Außenhaut erhalten sollen.

Auch Sonnenblumen-, Mais- und Pflanzenöle kann man zum Garen im Wok verwenden, denn sie alle erreichen Temperaturen, die hoch genug sind, um die Zutaten braun und knusprig werden zu lassen. Darüber hinaus rauchen und »verbrennen« sie nicht so leicht und sind daher nützlich für ein längeres Pfannenrühren bei hohen Temperaturen.

Sesamöl und Nußöle (Walnuß und Haselnuß) werden gern zum Aromatisieren eingesetzt, überhitzen aber sehr schnell. Da diese Öle über einen intensiven Eigengeschmack verfügen, sollten Sie sie am besten in kleinen Mengen und nicht als wichtigsten Bestandteil der Zubereitung verwenden. Beispielsweise könnte man Fleischbällchen oder eine Marinade mit einigen Tropfen eines dieser Öle abschmecken oder ein wenig Sesamöl mit Sonnenblumen- oder Erdnußöl vermischen und zum Kochen verwenden.

Techniken zur Vorbereitung

Beim Pfannenrühren handelt es sich um eine lockere, entspannte Garmethode, die nicht von pedantischen Maßregeln dominiert werden sollte; dennoch liegt das Geheimnis des Erfolges in einer effizienten Vorbereitung aller Zutaten. Einige wenige Versuche genügen, um jeden Koch zum Experten in dieser Garmethode zu machen.

Waschen, Abtropfen und Trocknen

Achten Sie darauf, daß alle Gemüse vor dem Zuschneiden und Garen sauber sind. Einige Gemüsesorten, wie etwa Porree, sind allerdings nach dem Schneiden leichter zu reinigen. Trocknen Sie die meisten Gemüse in einem Sieb, kleine Stücke in einem Haarsieb, und tupfen Sie sie vor dem Garen mit saugfähigem Küchenpapier ab, um ein Spritzen zu verhindern.

Vorbereitung und Schneidetechnik

Beim Pfannenrühren geht alles sehr schnell – aus diesem Grund sollten alle Zutaten vorher geschnitten sein, um ein schnelles und gleichmäßiges Garen zu ermöglichen. Die Größe der Stücke hängt sowohl von der Konsistenz und den Garzeiten der Zutaten ab wie vom angestrebten Ergebnis und dem äußeren Erscheinungsbild des Gerichts. Im folgenden finden Sie eine Liste der in den Rezepten angewendeten Techniken.

SCHEIBEN Dick oder dünn – abhängig von der benötigten Garzeit und der angestrebten Konsistenz der Speise. Achten Sie darauf, daß die Scheiben gleichmäßig ausfallen.

DIAGONALE SCHEIBEN Schneiden Sie die Scheiben in einem bestimmten Winkel ab. Beispielsweise sollten die Enden von Frühlingszwiebeln und Selleriestangen immer schräg angeschnitten werden; danach kann man die folgenden Stücke in dem nun vorgegebenen Winkel abschneiden, möglichst als gleichmäßig dicke, schräge Scheiben.

Scheiben

STÄBCHEN ODER STIFTE Die Zutaten zunächst in relativ dicke Scheiben, und diese dann in Stäbchen oder Stifte schneiden. Salatgurken und Zucchini sollten in lange Stücke geschnitten werden, die man dann der Länge nach vierteln kann.

DÜNNE STIFTE Feiner als Stäbchen, aber nicht so dünn wie streichholzdicke Stifte. Diese Stifte sollten etwa 5 mm dick sein.

STREICHHOLZDICKE STIFTE Sie besitzen im wahrsten Sinne des Wortes die Größe von Streichhölzern und sollten fein und gleichmäßig ausfallen. Diese Stifte garen sehr schnell und sind nützlich zum Garnieren. Kleine Mengen von Zutaten lassen sich so nach japanischer Art arrangieren.

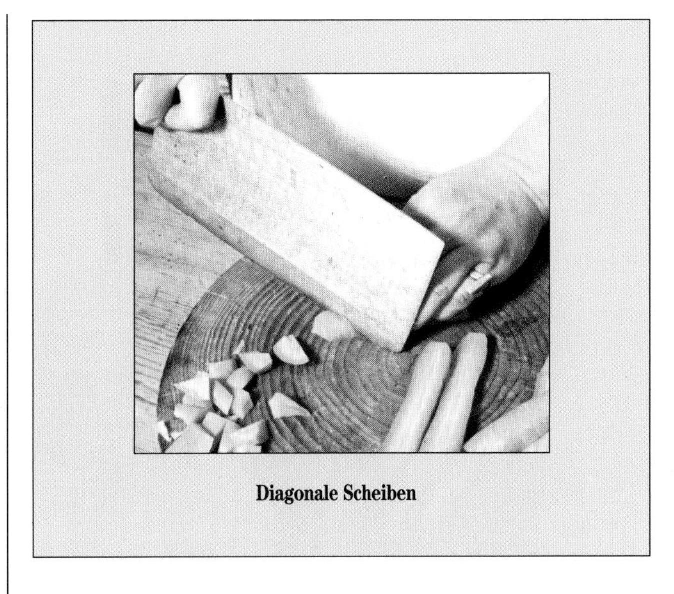

Diagonale Scheiben

FEIN GESCHNITTEN In dünne Scheiben, dann quer in feine Stücke geschnitten. Fester Kohl und ähnliche Blattgemüse lassen sich zerkleinern, indem man sie zunächst in dicke Scheiben und diese in dünne Scheiben schneidet.

GERIEBEN Benutzen Sie das grobe Blatt einer Reibe und werfen Sie den letzten, kleinen Strunk weg, der nicht gerieben werden kann.

GEHACKT Die Zutaten erst in Scheiben oder dünne Stifte schneiden und dann quer in feine Würfel hacken. Zwiebeln werden halbiert und in Scheiben geschnitten; danach schneidet man die Scheiben quer, so daß sie in kleine, relativ gleichmäßige Stücke zerfallen (allerdings nicht so gleichmäßig wie gewürfelte Zutaten). Grob gehackte Nahrungsmittel können etwas größer und ungleichmäßiger ausfallen. Kräuter hackt man am besten mit einem langen, scharfen Messer oder einem Wiegemesser.

FEIN GEWÜRFELT Die Zutaten in kleine, gleichmäßige Würfel von etwa 5 mm Kantenlänge schneiden.

Fein geschnitten

Beim groben oder feinen Würfeln werden die Zutaten erst in Scheiben geschnitten und dann quer gewürfelt.

GROB GEWÜRFELT Die Zutaten in größere, gleichmäßige Würfel von etwa 1–2,5 cm Kantenlänge schneiden.

GROSSE STÜCKE Etwas größer und weniger gleichmäßig als grob gewürfelt. Diese Zutaten müssen nicht in eine gleichmäßige quadratische Form gebracht werden.

Marinieren und Einweichen

Beide Ausdrücke beziehen sich auf das Einweichen von Zutaten vor der Zubereitung oder dem Verzehr. Während das Marinieren den eingelegten Nahrungsmitteln ein besonderes Aroma verleiht, werden Obst und Hülsenfrüchte vor der Zubereitung oder dem Verzehr in Wasser gelegt.

Für das Einweichen von Zutaten gibt es zwei gute Gründe – zum einen überträgt man zusätzliche Aromastoffe auf die Nahrungsmittel, zum anderen lassen sich zähe Zutaten dadurch aufweichen oder zart machen. Das Marinieren von Fleisch in ausgewählten Zutaten verbessert dessen Struktur ebenso wie sein Aroma. Die bekanntesten Bestandteile einer Marinade sind Kräuter, Gewürze, Obst, Wein oder Essig. Dabei müssen die Zutaten, die mariniert werden sollen, zwischen 30 Minuten und drei Tagen in der Marinade ziehen – abhängig von den Nahrungsmitteln und dem angestrebten Ergebnis.

Wenn man Zutaten über einen längeren Zeitraum marinieren will, sollten die verwendeten Nahrungsmittel besonders frisch sein; dies gilt vor allem für Fleisch und Geflügel. Die marinierten Nahrungsmittel müssen immer abgedeckt an einem kühlen Ort gelagert werden; wenn Sie sie – vor allem bei warmem Wetter – für einen längeren Zeitraum stehen lassen wollen, stellen Sie sie am besten in den Kühlschrank. Während des Marinierens sollten die Nahrungsmittel regelmäßig gewendet werden, so daß alle Teile gleichmäßig in der Marinade ziehen können.

Techniken des Pfannenrührens

Vor dem eigentlichen Garen sollten alle Zutaten vorbereitet sein und in greifbarer Nähe rund um die Pfanne liegen. Achten Sie darauf, daß auch Ihre Tischgäste zum Essen bereit sind, da sich viele Gerichte aus dem Wok nach dem Kochen nicht sehr lange halten.

Erhitzen Sie das Fett und geben Sie zuerst die Zutaten in den Wok, die die längste Garzeit haben. Wenn diese zum Teil gegart sind, geben Sie die nächste Gruppe von Zutaten in die Pfanne. Auf diese Weise werden nach und nach alle Bestandteile Ihrer Mahlzeit in den Wok gegeben, so daß sie alle gleichmäßig gar sind, wenn das Gericht fertiggestellt ist. In einigen Fällen können Sie die neuen Zutaten sofort mit den schon vorhandenen Nahrungsmitteln in der Pfanne vermischen; in anderen Fällen muß man die zum Teil gegarten Zutaten auf die Seite schieben und die neu hinzugekommenen Nahrungsmittel schnell unter Rühren anbraten, bevor beide Teile miteinander vermischt werden.

DER RICHTIGE ZEITPUNKT Beim Pfannenrühren ist ein exakter zeitlicher Ablauf nur schwer genau festzulegen und kann zu Mißverständnissen führen. Die für die Nahrungsmittel benötigte Garzeit hängt nicht nur von der Größe der Einzelteile und der Hitze der Pfanne ab, sondern auch vom Volumen anderer Zutaten und der Größe der Pfanne oder des Woks. Wenn Ihre Pfanne gefüllt ist, brauchen die neu hinzugegebenen Nahrungsmittel längere Zeit zum Garen; dagegen haben die Zutaten bei einem großen, geräumigen Wok besseren Kontakt mit der heißen Oberfläche und garen daher schneller.

Mit etwas gesundem Menschenverstand und ein wenig Erfahrung werden Sie sehr schnell den Zeitpunkt abzuschätzen lernen, an dem man die nächsten Zutaten in die Pfanne geben kann. Vor allem Geflügel sollte sorgfältig durchgebraten werden – überprüfen Sie die Stücke nach verschiedenen Garzeiten und vor dem Servieren. Wenn sich im Fleischsaft noch Spuren von Blut befinden, ist das Geflügel noch nicht gar genug.

SCHMOREN Das Schmoren ähnelt dem Pfannenrühren im Wok. Allerdings wird bei dieser Garmethode ein wenig Flüssigkeit in die Pfanne gegeben, so daß man sie häufig direkt nach dem eigentlichen Pfannenrühren einsetzt. Sobald die Zutaten gebraten sind, gibt man einen Fond oder eine andere Flüssigkeit in die Pfanne und setzt die Zubereitung fort. Dabei sollten die Zutaten so lange durchgerührt werden, bis das Gericht gar und die Sauce verdampft oder eingedickt ist.

SERVIEREN Denken Sie daran, daß schnell gegarte Nahrungsmittel am besten frisch auf den Tisch kommen. Aus diesem Grund sollten Sie die fertigen Speisen sofort auf eine vorgewärmte Servierplatte oder auf einzelne Teller verteilen. Bereiten Sie die Garnierungen und Beilagen so weit vor, daß die gesamte Hauptmahlzeit in einem Gang serviert werden kann. Sie könnten aber auch Ihren Wok oder Ihre Pfanne an den Tisch bringen und dort über einer Flamme warmhalten.

VORSPEISEN

Ein erster Gang aus dem Wok kann leicht, farbenfroh und äußerst appetitanregend sein – und damit genau das Richtige für den Beginn eines wahren Festmahls. Wenn alle Zutaten vorbereitet sind und die Pfanne auf der (noch nicht erhitzten) Kochmulde steht, können Sie mit dem Kochen beginnen, während sich Ihre Gäste bei einem Drink vor dem Abendessen entspannen.

Falls die Garzeit besonders kurz ausfallen wird, sollten Sie Ihre Gäste schon vor dem Pfannenrühren zu Tisch bitten: Es ist besser, sie ein paar Minuten warten zu lassen, als ein großartiges Abendessen abkühlen und verderben zu sehen.

Neben den in diesem Kapitel vorgestellten Rezepten lassen sich auch viele Hauptgerichte in eine Vorspeise verwandeln – verringern Sie einfach die angegebenen Mengen an Zutaten. Andererseits könnten Sie durch das Verdoppeln der hier vorgeschlagenen Rezeptmengen Ihre Vorspeisen in eine Auswahl köstlicher, leichter Mittag- oder Abendmahlzeiten verwandeln.

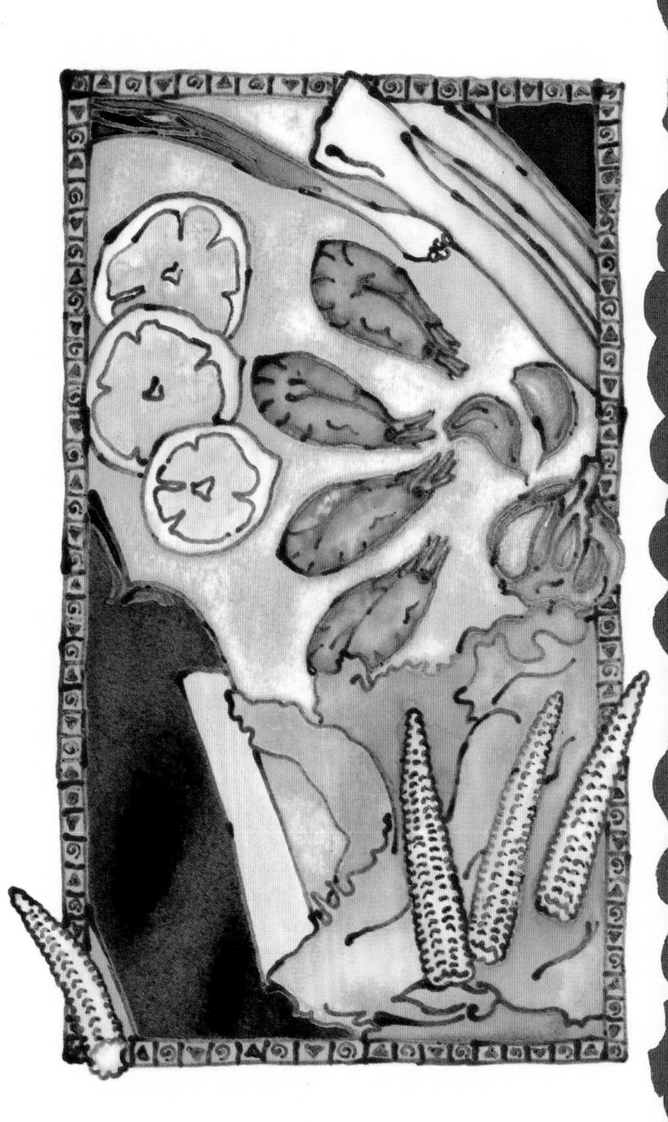

Fernöstlicher Tintenfisch

Wenn die Tintenfischstücke gebraten werden, rollen sie sich zusammen, so daß die attraktiven rautenförmigen Einschnitte zum Vorschein kommen. Die Wahl des richtigen Öls ist entscheidend für eine ausreichende Temperatur und besonders knackige Resultate.

FÜR 4 PERSONEN

12 Tintenfische, gewaschen und ausgenommen (siehe S. 25)
Saft einer Zitrone
1 grüne Chilischote, entkernt und gehackt
1/2 TL Fünf-Gewürz-Pulver
2 Knoblauchzehen, zerdrückt
2 TL Sesamöl
4 EL Erdnußöl
1 rote Paprikaschote, entkernt und fein gewürfelt
4 Frühlingszwiebeln, in dünne Scheiben geschnitten
4 EL Sojasauce

Die Tentakel je nach Wunsch mitkochen. Den Tintenfischkörper der Länge nach aufschneiden, dann in 2–3 Stücke schneiden. Mit einem kleinen, scharfen und spitzen Messer ein Zickzackmuster in die Innenseite der Stücke ritzen.

Die Tintenfischstücke in eine Schüssel legen. Dann Zitronensaft, Chilischoten, Fünf-Gewürz-Pulver (diese häufig verwendete Gewürzmischung enthält meist Anis, Fenchel, Nelken, Zimt und Szetschuanpfeffer), Knoblauch und Sesamöl hinzugeben und umrühren, bis die Stücke gleichmäßig von der Würzmischung bedeckt sind.

Abdecken und mindestens eine Stunde, wenn möglich 3–4 Stunden ziehen lassen.

Das Erdnußöl im Wok erhitzen, bis es glänzt, dann den Tintenfisch hineingeben und unter Rühren anbräunen. Die Stücke sollten sich zusammenrollen und das Rautenmuster erkennen lassen. Mit einem Schaumlöffel die Stücke aus der Pfanne nehmen und auf einzelne Teller verteilen.

Überschüssiges Öl aus der Pfanne abgießen, dann mit dem Garen der Gemüse beginnen: Zuerst die Paprika und die Frühlingszwiebeln für 1–2 Minuten unter Rühren braten, dann die Sojasauce darübergeben und einige Sekunden lang durchrühren. Die fertige Gemüsemischung mitsamt der Flüssigkeit über die Tintenfischstücke verteilen und sofort servieren.

Maiskölbchen mit Shrimps

FÜR 4 PERSONEN
1 Knoblauchzehe, zerdrückt
½ TL Gelbwurz
2 EL helle Sojasauce
2 EL Sherry, medium
250 g ganze Maiskölbchen
3 EL Öl
1 Selleriestange, in kurze, feine Streifen geschnitten
4 Frühlingszwiebeln, fein geschnitten
½ Eisbergsalat, grob geschnitten
250 g geschälte und gekochte Shrimps oder Garnelen
2 TL geriebene Zitronenschale

Knoblauch, Gelbwurz, Sojasauce und Sherry in einer großen Schüssel mischen. Die Maiskölbchen hinzugeben und gut durchrühren, bis sie von der Würzmischung bedeckt sind. Die Schüssel abdecken und mindestens 30 Minuten beiseite stellen. Der Mais kann bis zu mehreren Stunden in der Marinade ziehen.

2 Eßlöffel Öl erhitzen und den Sellerie für 30 Sekunden anbraten. Dann mit einem Schaumlöffel die Maiskölbchen hinzugeben; die Marinade beiseite stellen. Den Mais 4–5 Minuten unter Rühren braten. Die Frühlingszwiebeln hinzugeben und 1 Minute garen lassen, danach den Eisbergsalat einrühren. Anschließend die Marinade in die Pfanne gießen und das Ganze weitere 30–60 Sekunden unter Rühren braten. Der Salat sollte immer noch knackig sein.

Die fertige Mischung auf vier vorgewärmte Teller oder Schüsseln aufteilen. Das restliche Öl in die Pfanne geben. Nun die Shrimps mit der Zitronenschale 30 Sekunden (oder bis sie heiß sind) unter Rühren anbraten und danach auf die einzelnen Teller verteilen. Sofort servieren.

DER KÜCHENCHEF EMPFIEHLT

Wenn Sie tiefgefrorene Shrimps oder Garnelen in Ihren Rezepten verwenden, sollten Sie sie erst nach dem Auftauen und Abtrocknen auswiegen.

Jakobsmuscheln mit Avocado

Es gibt eine einfache Möglichkeit, aus einigen großen Jakobsmuscheln eine Vorspeise für vier Personen zu zaubern: Servieren Sie sie zusammen mit Brot und Butter oder Melba-Toast (siehe S. 20).

FÜR 4 PERSONEN
1 Limone
1 Bund Brunnenkresse
2 Avocados
ein großes Stück Butter
ein wenig Öl
8 große Jakobsmuscheln, aus der Schale gelöst und in Scheiben geschnitten
Salz und weißer Pfeffer

Einen dünnen Streifen Limonenschale von der Mitte der Limone abschneiden und diesen Streifen quer in sehr feine Streifen schneiden. Die Limone vierteln und beiseite legen. Die Stengel der Brunnenkresse abschneiden.

Nun die Avocado halbieren, den Stein entfernen und das Fleisch in Viertel schneiden. Anschließend die Avocadostücke schälen, in Scheiben schneiden und diese auf mehreren Tellern arrangieren.

Ein wenig Öl in die Pfanne geben und die Butter darin zerlassen. Nun die Limonenschale hinzufügen und einige Sekunden garen lassen. Die Jakobsmuscheln und die Brunnenkresse in die Pfanne geben und 1–2 Minuten unter Rühren braten, bis die Muscheln kurz gegart sind. Ihr Fleisch sollte bißfest sein – zu lange gekochte Muscheln werden zäh. Die Muscheln auf die Teller verteilen und jede Portion mit einem Stück Limone garnieren. Sofort servieren – die Jakobsmuscheln können vor dem Verzehr mit etwas Limonensaft beträufelt werden.

MAISKÖLBCHEN MIT SHRIMPS

Lockere Gemüsepfannkuchen

Leichte Pfannkuchen aus Eiweiß, die mit Frühlingszwiebeln aromatisiert wurden, bilden die ideale Basis für diese Mischung verschiedener Gemüse. Mit Hilfe von weißen langen Radieschen oder Daikon-Kresse erhält die köstliche Mixtur aus Brokkoli und Pilzen zusätzlichen Pfiff.

FÜR 4 PERSONEN
2 Eiweiß
2 EL Maisstärke
Salz
2 Frühlingszwiebeln, feingehackt

GEMÜSE ZUM PFANNENRÜHREN
5 cm langes Stück weiße lange Radieschen, geschält
250 g Brokkoli
250 g Pilze, in dünne Scheiben geschnitten
2 EL Sojasauce
1 EL Streuzucker
1 EL Reisessig oder Apfelessig
Öl zum Kochen
2 EL Sesamkörner

Das Eiweiß mit 2 Eßlöffeln Wasser leicht schlagen, dabei die Maisstärke teelöffelweise hinzugeben. Ein wenig Salz unterschlagen, dann die Frühlingszwiebeln einrühren.

Das weiße lange Radieschen der Länge nach in dünne Scheiben, danach in feine Streifen schneiden und in eine Schüssel geben. Den Brokkoli in kleine Stücke schneiden und mit dem Radieschen vermischen. Die Pilzscheiben in eine separate Schüssel geben und die Sojasauce, Zucker und Essig hinzufügen. Das Ganze gut durchrühren, wobei die Pilzscheiben nicht zerbrechen dürfen. Die Schüssel abdecken und beiseite stellen.

Die Pfannkuchen können einzeln in einem Wok oder zu dritt oder zu viert gleichzeitig in einer großen Bratpfanne gebacken werden. Ein wenig Öl erhitzen, dann den Eiweiß-Teig leicht schlagen und einen Löffel voll in die Pfanne gießen, so daß ein dünner, runder Pfannkuchen entsteht.

Den Teig backen, bis die Unterseite gebräunt ist, dann umdrehen und die zweite Seite backen, bis diese leicht gebräunt ist. Die fertigen Pfannkuchen auf Küchenpapier abtropfen lassen und warm stellen. Auf diese Weise acht kleine Pfannkuchen backen.

Ein wenig Öl erhitzen, dann mit dem Schaumlöffel die Pilze hineingeben. Bei großer Hitze unter ständigem Rühren etwa 1 Minute anbraten, bis die Pilze gebräunt sind. Dann Radieschen und Brokkoli in die Pfanne geben und das Ganze weitere 3 Minuten unter Rühren garen. Nun die Sesamkörner dazugeben und 1 Minute braten; anschließend die Marinade der Pilze angießen und unter Rühren vermengen.

Die Pfannkuchen sollten auf separaten Tellern angerichtet und mit einer Portion des gebratenen Gemüses gekrönt werden. Sofort servieren.

Auberginen-Horsd'œuvres

Eine interessante und ungewöhnliche Vorspeise für ein Menü im mediterranen Stil.

FÜR 4 PERSONEN
1 große Aubergine
Salz und frisch gemahlener schwarzer Pfeffer
4 Tomaten, geschält und entkernt
6 EL Olivenöl
1 Knoblauchzehe, zerdrückt
1 kleine Zwiebel, halbiert und in dünne Scheiben geschnitten
2 kleine weiße Rüben, in feine Streifen geschnitten
4 Scheiben Kochschinken, in feine Streifen geschnitten
4 Basilikumstengel, fein geschnitten

Die Aubergine putzen und auf beiden Seiten der Länge nach einen dünnen Streifen Haut abschälen. Die restliche Aubergine in vier lange Scheiben schneiden, in ein Sieb legen und mit Salz bestreuen. Das Sieb etwa 20 Minuten über eine Schüssel hängen, dann die Scheiben abspülen und mit Küchenpapier trockentupfen. Die Tomaten in Streifen schneiden.

4 Eßlöffel des Öls erhitzen und die Auberginenscheiben hinzugeben. Die Scheiben nach wenigen Sekunden wenden und garen, bis sie leicht gebräunt sind; dann erneut wenden und die zweite Seite bräunen. Die fertigen Scheiben auf mehrere Teller verteilen und warm halten.

Das restliche Öl erhitzen. Knoblauch, Zwiebeln und Rüben hinzugeben und unter Rühren etwa 5 Minuten anbraten, bis das Gemüse gegart, aber immer noch knackig ist. Dann Tomaten, Schinken und Gewürze hinzufügen und das Ganze etwa 30 Sekunden garen lassen.

Die fertige Gemüsemischung über die Auberginenscheiben geben und jede Portion mit etwas Basilikum bestreuen. Sofort servieren; reichen Sie dazu etwas Brot zum Auftunken der Sauce.

TOMATEN SCHÄLEN UND ENTKERNEN

Tomaten kann man auf zwei Arten schälen. Die erste Möglichkeit eignet sich für feste Früchte: Die Tomate auf eine Metallgabel spießen und über eine Gasflamme halten. Dabei die Gabel drehen, bis die Haut Blasen wirft und aufplatzt. Nun die Haut unter kaltem Wasser abziehen. Wenn sie eine große Menge von Tomaten schälen müssen, legen Sie sie in eine Schüssel und gießen Sie kochendes Wasser darüber. Die Tomaten für 30–60 Sekunden im Wasser lassen; sehr reife Früchte benötigen weniger Zeit. Danach die Tomaten abtropfen und die Haut mit der Messerspitze einritzen – die Haut sollte sich jetzt leicht abziehen lassen.

Die Kerne entfernen: Die Tomate halbieren, dann mit einem kleinen Teelöffel die Kerne herausschöpfen, wobei Haut und Fleisch unangetastet bleiben.

BUNTES PAPRIKAGEMÜSE

Buntes Paprikagemüse

Im Sommer eine perfekte Vorspeise, die sich besonders für Grillabende eignet, da Sie den Wok über der Holzkohle erhitzen können. Außerdem ist sie eine verlockende Beilage für Kebabs oder jede Art von gegrilltem Fleisch.

FÜR 4 PERSONEN
- 4 EL Rosinen
- 2 EL Rotwein
- 20 schwarze Oliven, entsteint und in Scheiben geschnitten
- 4 EL frische gehackte Petersilie
- 2 TL geriebene Zitronenschale
- 4 große Paprikaschoten, vorzugsweise rot, grün, gelb und orange
- 2 EL Olivenöl
- 3 EL Pinienkerne
- Salz und frisch gemahlener schwarzer Pfeffer

Rosinen und Wein in einer kleinen Kasserolle zum Kochen bringen; danach beiseite stellen. Alternativ Rosinen und Wein in eine kleine Schüssel oder ein geeignetes Behältnis geben und in der Mikrowelle 30 Sekunden auf höchster Stufe erhitzen. Oliven, Petersilie und Zitronenschale miteinander vermengen.

Die Paprika der Länge nach halbieren, alle Kerne entfernen und in schmale Streifen schneiden. Das Öl erhitzen und die Pinienkerne etwa 1 Minute unter Rühren anbraten, bis sie gerade angebräunt sind. Die Paprikastreifen für 4–5 Minuten mitbraten. Die Rosinen-Wein-Mischung einrühren und abschmecken. Einige Sekunden kochen lassen, dann die Paprika auf mehrere Teller oder eine Servierplatte verteilen, mit der Olivenmischung übergießen und servieren.

Gemüseschalen mit Tapinaude

Diese gebratenen Gemüse in Salatblättern werden mit Tapinaude nach Wunsch garniert, zusammengerollt und gegessen. Die Tapinaude sollte relativ stark gewürzt sein, um den ungesalzenen Gemüsen etwas Aroma zu verleihen. Achten Sie darauf, die Salatblätter nicht zu sehr zu füllen, und stellen Sie große Servietten oder Fingerschalen zum Säubern der fettigen Finger bereit.

FÜR 4 PERSONEN

TAPINAUDE
- 150 g schwarze Oliven, entsteint
- 50 g Sardellenfilet aus der Dose
- 2 EL Kapern
- 1 große Knoblauchzehe, zerdrückt
- frisch gemahlener schwarzer Pfeffer
- 2 EL Zitronensaft
- 50 ml Olivenöl

GEMÜSE ZUM PFANNENRÜHREN
- 1 Fenchelknolle
- 4 Selleriestangen
- 2 EL Olivenöl
- 1/2 kleine Zwiebel, in dünne Scheiben geschnitten (eine rote Zwiebel ergibt den besten Geschmack)
- 400 g Artischockenherzen, abgetropft
- 4 EL frisch gehackte Petersilie
- 12 große Blätter Eisbergsalat, zum Servieren

Die Tapinaude kann im vorhinein vorbereitet werden, da sie sich in einem abgedeckten Krug im Kühlschrank 2– 3 Tage hält. Die Oliven im Mörser zu einer Paste zerstoßen. Die Sardellen mit dem Öl aus der Dose zu einem Brei zerstampfen und mit den Oliven vermengen. Danach die Kapern und den Knoblauch in kleinen Mengen zu der Mischung hinzugeben, bis eine gleichmäßige Masse entsteht. Mit reichlich Pfeffer würzen, den Zitronensaft darunterrühren und dann langsam das Olivenöl daruntermengen.

Natürlich läßt sich eine solche Masse am einfachsten in einem Mixer herstellen, aber achten Sie darauf, die Zutaten nicht zu stark durchzurühren. Die fertige Tapinaude in eine kleine Servierschüssel geben und in die Mitte einer großen Servierplatte stellen.

Eventuelle braune Stellen des Fenchels abschneiden, dann die Knolle der Länge nach halbieren und in feine Scheiben schneiden. Den Sellerie in dünne Scheiben schneiden. Das Öl erhitzen und Sellerie, Fenchel und Zwiebel unter Rühren 3 Minuten anbraten. Die Artischockenherzen hinzugeben und etwa 1 Minute garen, bis sie heiß sind. Dann die Petersilie unter die Mischung rühren.

Die Salatblätter auf der Servierplatte rund um die Schüssel mit Tapinaude arrangieren. Das Gemüse auf die Blätter verteilen und sofort servieren.

HALLOUMI MIT TRAUBEN

Halloumi mit Trauben

Halloumi ist die Bezeichnung für einen Weichkäse aus Schafsmilch, der im Nahen Osten, der Türkei und in Griechenland hergestellt wird. Häufig gegrillt serviert, entwickelt Halloumi beim Garen eine knusprige Kruste, während das Innere weich bleibt. Servieren Sie diese Vorspeise kochend heiß – die süßen, knackigen Trauben bilden einen köstlichen Kontrast zum Käse.

FÜR 4 PERSONEN
350 g Halloumi
4 EL Olivenöl
1 TL getrockneter Oregano
1 TL frische Thymianblätter
2 EL grob zerriebene Koriandersamen
frisch gemahlener schwarzer Pfeffer
250 g kernlose grüne Trauben
1 Bund Brunnenkresse
2 Frühlingszwiebeln, gehackt

Den Käse in 1–2,5 cm große Stücke schneiden und in eine Schüssel legen. Olivenöl, Oregano, Thymian, Koriander hinzugeben und großzügig mit schwarzem Pfeffer bestreuen. Das Ganze gut vermischen und abgedeckt mindestens eine Stunde in der Marinade lassen – der Käse kann sogar über Nacht im Kühlschrank stehenbleiben.

Die Stiele der Trauben entfernen; anschließend die Trauben waschen und abtrocknen. Die Blätter der Brunnenkresse abschneiden und mit den Frühlingszwiebeln mischen. Den fertigen Salat auf vier Teller verteilen.

Das Öl aus der Käseschüssel in eine große Pfanne laufen lassen und erhitzen – Olivenöl überhitzt sehr schnell, so daß dieser Vorgang bei mittlerer bis starker Hitze nicht allzu lange dauern dürfte. Nun den Käse in die Pfanne geben und unter Rühren goldbraun braten. Die Trauben hinzufügen und einige Sekunden mit dem Käse durchrühren, bis sie leicht angewärmt sind.

Halloumi und Trauben mit einem Löffel auf den vorbereiteten Salat verteilen und sofort servieren; als Beilage knuspriges Brot zum Auftunken der Sauce reichen.

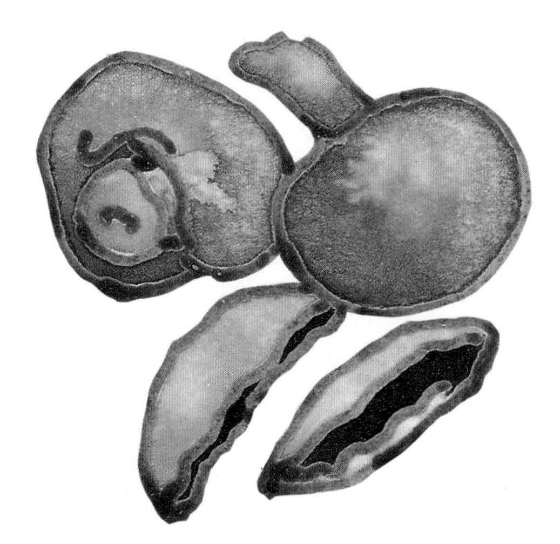

Pilzgenuß

Dieses Gericht eignet sich sowohl als leichte Mittagsmahlzeit wie auch als appetitanregende Vorspeise – sonnengetrocknete Tomaten, umgeben von gebratenen gemischten Pilzen.

FÜR 4 PERSONEN
50 g getrocknete Röhren- oder Steinpilze
4 sonnengetrocknete Tomaten
2 EL Portwein
250 g Austernpilze, in Scheiben geschnitten
250 g Maronenpilze, in Scheiben geschnitten
2 EL Olivenöl
ein großes Stück Butter
4 EL kleingeschnittener Schnittlauch
4 EL frische gehackte Petersilie

Die getrockneten Pilze mit den Tomaten in eine kleine Kasserolle legen, mit Wasser gerade bedecken und zum Kochen bringen. Dann die Hitze reduzieren und das Ganze ohne Deckel 15 Minuten köcheln lassen. Das Kochwasser abgießen, aber nicht wegschütten. Die Pilze gegebenenfalls in Scheiben schneiden.

Die Tomaten fein würfeln, mit dem Portwein vermischen und beiseite stellen. Das Kochwasser der Pilze durch ein Seihtuch zurück in die Kasserolle geben. Die Flüssigkeit aufkochen und auf 2 Eßlöffel reduzieren lassen, dann über die Tomaten gießen.

Alle zähen Stengel der Austernpilze abschneiden. Öl und Butter erhitzen; dann Maronenpilze und getrocknete Pilze auf großer Flamme unter Rühren 1 Minute braten. Austernpilze hinzugeben und weitere 2 Minuten braten, bis die Pilze heiß, aber noch nicht weich sind. Nun die Tomaten mitsamt Flüssigkeit darunterrühren und das Ganze etwa 30 Sekunden lang aufkochen lassen.

Zum Schluß die Kräuter in der Pfanne durchrühren und die Pilze sofort servieren; als Beilage knuspriges Brot zum Auftunken der Sauce reichen.

Pikanter Hühnerleber-Salat

Dieser Salat eignet sich ebensogut als leichte Mittagsmahlzeit wie auch als Abendessen.

FÜR 4 PERSONEN
250 g Hühnerleber
1/2 TL gemahlener Koriander
1/2 TL gemahlene Muskatblüten
1/2 TL Paprika
1 EL Weizenmehl
Salz und frisch gemahlener schwarzer Pfeffer
2 Frühlingszwiebeln, gehackt
4 EL frische gehackte Petersilie
1 TL geriebene Zitronenschale
250 g Frühstücksspeck, fein gewürfelt
2 EL Olivenöl
gemischter Salat, zum Servieren
Zitronenschnitze, zum Garnieren

Die Hühnerlebern waschen, abtropfen und mit Küchenpapier abtrocknen. Eventuelle Häutchen abschneiden, dann jedes Stück Leber halbieren oder vierteln. Die Leberstücke mit Koriander, Muskatblüten, Paprika, Weizenmehl und reichlich Gewürzen bestreuen und gut darin wälzen, bis alle Teile paniert sind.

Die Frühlingszwiebeln mit Petersilie und Zitronenschale mischen und beiseite stellen. Den Salat zum Servieren der Hühnerleber vorbereiten und auf die Schälchen verteilen.

Den Frühstücksspeck in eine nicht erhitzte Pfanne legen und unter Rühren bei mittlerer bis großer Hitze so lange braten, bis das Fett aus dem Speck austritt. Weiterhin unter Rühren braten, bis alle Speckstücke braun und knusprig sind. Die Stücke mit einem Schaumlöffel aus der Pfanne nehmen und auf Küchenpapier abtropfen lassen.

Das Olivenöl zum in der Pfanne verbliebenen Fett gießen und kurz erhitzen. Nun die Hühnerleberstücke samt Würzmischung dazugeben und unter Rühren braten, bis sie fest, leicht gebräunt und gegart sind – dies sollte etwa 5 Minuten dauern. Mit einem Löffel die Hühnerleberstücke auf die vorbereiteten Schälchen verteilen. Das Gericht mit Zitronenschnitzen garnieren (des Saftes wegen) und mit Melba-Toast sofort servieren.

MELBA-TOAST

Mittelstarke Brotscheiben auf beiden Seiten goldbraun toasten; dann die Kruste abschneiden und jede Scheibe horizontal durchschneiden, so daß man zwei sehr dünne Scheiben erhält. Mit der ungetoasteten Seite auf den Brötchenrost legen und ganz leicht toasten, bis sie leicht gebräunt und gewellt ist. Abkühlen lassen.

EINFACHE KÖSTLICHE HAUPTGERICHTE

Dieses Kapitel steckt voller Ideen für einfache Hauptgerichte, die täglich für die Familie oder als informelles Abendessen für Freunde zubereitet werden können. Es handelt sich um preiswerte, schlichte und schmackhafte Mahlzeiten, die sich mit Sicherheit zum festen Bestandteil Ihres Rezeptrepertoires entwickeln. Sie finden Ideen für Fisch und Meeresfrüchte (die sich auch für verschiedene Fleischarten oder Steaks adaptieren lassen), leichte und einfache Rezepte für Geflügel und interessante Vorschläge für Würstchen und Innereien.

Lassen Sie die pfannengerührten Gerichte auf gekochten Reis, Nudeln oder Salat gleiten; rollen Sie sie in frisch gebackene Pfannkuchen ein; füllen Sie sie in Fladenbrot oder aufgeschnittene Baguettes oder häufen Sie sie in kochend heiße Folienkartoffeln. Kurz gesagt: Sie können diese Gerichte behandeln wie jedes andere Hauptgericht oder – wenn nur wenig Zeit zur Verfügung steht – einfach zusammen mit großen Stücken knusprigem Brot und einem knackigen Salat als Beilage servieren.

Fischfilet mit Zitrone und Zucchini

FÜR 4 PERSONEN
650 g Wittling- oder andere feste Weißfischfilets, ohne Haut
Salz und frisch gemahlener schwarzer Pfeffer
3 EL Weizenmehl
geriebene Schale von 1 Zitrone
3 EL Öl
1/2 kleine Zwiebel, in dünne Streifen geschnitten
1 rote Paprikaschote, in dünne Streifen geschnitten
250 g kleine Zucchini, geputzt, der Länge nach halbiert und in 5 cm lange Streifen geschnitten
4 EL kleingeschnittener Schnittlauch
Zitronenschnitze, zum Garnieren

Die Fischfilets in 1 cm breite Streifen schneiden, in eine Schüssel legen und mit Gewürzen, Mehl und Zitronenschale bestreuen. Die Streifen in der Mehlmischung gründlich wälzen, bis sie gleichmäßig paniert sind.

Das Öl erhitzen, dann Zwiebel und Paprika dazugeben und unter Rühren 3 Minuten lang garen. Anschließend den Fisch hinzugeben und vorsichtig – die Streifen dürfen nicht zerbrechen – für 4–5 Minuten unter Rühren braten, bis er leicht gebräunt ist. Mit einem Schaumlöffel die Fischmischung auf eine vorgewärmte Servierplatte heben.

Nun die Zucchini in das restliche Öl in der Pfanne geben (es sollte noch genug vorhanden sein, damit die Pfanne weiterhin gut eingefettet ist) und sie bei großer Hitze etwa 2 Minuten unter Rühren garen, bis sie heiß und zart sind. Den Schnittlauch darunterrühren; dann die Zucchini um den Fisch arrangieren. Mit Zitronenschnitzen garnieren und sofort servieren. Den Fisch vor dem Verzehr mit etwas Zitronensaft beträufeln.

DER KÜCHENCHEF EMPFIEHLT

Schnittlauch schneidet man am besten mit einer Schere: Den gewaschenen Bund mit einer Hand festhalten und die Enden über einer Schüssel abschneiden.

Makrele mit Stachelbeeren

Säuerliche Stachelbeeren sind eine traditionelle Beilage für saftige, aromatische Makrelen; allerdings werden beide im allgemeinen nicht miteinander in der Pfanne gebraten. Servieren Sie diese sommerliche Kombination mit neuen Kartoffeln und jungen Erbsen oder knackigen grünen Bohnen.

FÜR 4 PERSONEN

- 4 kleine bis mittlere Makrelen, ausgenommen und ohne Kopf und Schwanz
- Salz und frisch gemahlener schwarzer Pfeffer
- 4 EL Weizenmehl
- ein kleines Stück Butter
- 1 kleine Zwiebel, halbiert und in dünne Scheiben geschnitten
- 250 g Stachelbeeren, ohne Stiel und Blütenansatz
- 50 g heller Rohrzucker
- 3 EL Öl
- 2 EL frischer gehackter Dill oder Fenchel
- Dill- oder Fenchelzweige, zum Garnieren

Die aufgeschnittenen Makrelen einzeln, mit der Haut nach oben, auf ein Schneidebrett legen. Mit dem Daumen fest über die Wirbelsäule fahren, dann den Fisch umdrehen und die Wirbelsäule vom Schwanzende her abheben. Die gelockerte Wirbelsäule sollte sich leicht entfernen lassen und die meisten anderen Gräten mit sich ziehen. Die restlichen Gräten entfernen, und den Fisch in 1 cm breite Streifen schneiden. Die Fischstreifen in reichlich Gewürzen und dem Mehl wälzen.

Die Butter zerlassen, die Zwiebeln in die Pfanne geben und etwa 5 Minuten unter Rühren glasig werden lassen. Dann die Stachelbeeren hinzufügen und unter Rühren 3–4 Minuten garen. Den Zucker dazugeben und unter Rühren schmelzen, bis er mit den Fruchtsäften eine pikante Glasur ergibt. Die Früchte mit dem Löffel auf eine Servierplatte heben, zu einem großen Kreis arrangieren und warm halten.

Die Pfanne mit Küchenpapier auswischen, das Öl erhitzen und die Fischstreifen bei mittlerer bis großer Hitze unter Rühren goldbraun und knusprig anbraten. Die Streifen auf Küchenpapier abtropfen lassen, in Dill oder Fenchel wälzen und mit der Stachelbeersauce auf der Servierplatte anrichten. Das fertige Gericht mit Dill- oder Fenchelzweigen garnieren und sofort servieren.

Fisch mit schwarzen Bohnen

Servieren Sie dieses aromatische, fernöstliche Gericht mit gekochtem weißen Reis. Wenn Sie es zusammen mit anderen Speisen als Teil eines ausgedehnten Menüs reichen, sollten Sie die angegebene Fischmenge um die Hälfte reduzieren.

FÜR 4 PERSONEN

- 1 kg Schollen-, Wittling- oder Schellfischfilets, ohne Haut
- 2 EL gesalzene schwarze Bohnen
- 4 EL trockener Sherry
- 2 EL helle Sojasauce
- 1 TL Sesamöl
- 3 EL Maisstärke
- 2 EL Öl
- 5 cm langes Stück frische Ingwerwurzel, geschält und in feine Streifen geschnitten
- 1 grüne Chilischote, entkernt und in Ringe geschnitten
- 1 Knoblauchzehe, zerdrückt
- 1 Stück Zitronengras oder ein Streifen Zitronenschale
- 1 Bund Frühlingszwiebeln, in diagonale Streifen geschnitten

Den Fisch quer in 1 cm breite Streifen schneiden und in eine große, flache Schüssel legen. Die gesalzenen schwarzen Bohnen, Sherry, Sojasauce und Sesamöl über den Fisch verteilen. Anschließend die Schüssel abdecken und die Streifen 2–3 Stunden in der Marinade ziehen lassen.

Vor der eigentlichen Zubereitung des Fisches die Streifen gut abtropfen lassen; dabei die Marinade auffangen. Die Fischstreifen in Maisstärke wälzen.

Das Öl erhitzen; dann Ingwer, Chilischoten, Knoblauch und Zitronengras oder -schale bei mittlerer Hitze unter Rühren 4–5 Minuten garen, um ihr Aroma herauszuziehen. Die Fischstreifen in die Pfanne geben und vorsichtig unter Rühren braten – die Streifen sollten nicht zerbrechen –, bis sie leicht gebräunt sind.

Alle Frühlingszwiebeln hinzugeben und weitere 2 Minuten unter Rühren braten, bis die Zwiebeln glasig sind. Die Marinade mit 4 EL Wasser verdünnen und in die Pfanne gießen. Das Ganze bei großer Flamme zum Kochen bringen; dann die Hitze reduzieren und 1 Minute lang unter Rühren garen; anschließend sofort servieren.

FISCH MIT SCHWARZEN BOHNEN

Kabeljau mit Zuckererbsen

Frische Erbsen machen dieses Gericht zu einer Spezialität; in diesem Falle sollten Sie auch das Kabeljaufilet durch große Stücke Seeteufel ersetzen. Aber für ein gemütliches Alltagsgericht genügen tiefgefrorene Erbsen und ein preiswerterer Weißfisch durchaus. Als Beilage empfehle ich Reis, Nudeln und gekochte oder gebratene Kartoffeln.

FÜR 4 PERSONEN

650 g dickes Kabeljaufilet, ohne Haut, in große Stücke geschnitten
Salz und frisch gemahlener schwarzer Pfeffer
1 EL Zitronensaft
2 EL Olivenöl
ein kleines Stück Butter
1 große Zwiebel, gehackt
1 Knoblauchzehe, zerdrückt
200 g geschälte grüne Erbsen, blanchiert, oder tiefgefrorene Zuckererbsen
1 Kopfsalatherz, fein geschnitten
1 EL frisch gehackter Dill oder Fenchel
2 EL frische gehackte Petersilie
Zitronen- oder Limonenschnitze, zum Garnieren

Den Fisch gut würzen und mit Zitronensaft beträufeln. Öl und Butter zusammen erhitzen, bis die Butter zerläuft, dann Knoblauch und Zwiebeln unter Rühren 5 Minuten braten, bis die Zwiebeln glasig werden.

Die Erbsen mit den Zwiebeln zusammen weitere 5 Minuten unter Rühren garen. Den Salat dazugeben und alles 2 Minuten garen, bis der Salat zusammenfällt. Nun den Fisch, Dill oder Fenchel und Petersilie in die Pfanne geben und das Ganze vorsichtig weitere 5 Minuten unter Rühren braten, bis die Fischstücke gar sind, aber noch Biß haben. Das fertige Gericht abschmecken und zusammen mit Limonen- oder Zitronenschnitzen servieren.

KABELJAU MIT ZUCKERERBSEN

PIKANTE GARNELEN MIT OMELETT

Pikante Garnelen mit Omelett

FÜR 4 PERSONEN

1 grüne Chilischote, entkernt und in feine Scheiben geschnitten
2 Knoblauchzehen, zerdrückt
2,5 cm langes Stück frische Ingwerwurzel, gerieben
1/2 TL Gelbwurz
Prise gemahlene Gewürznelken
1 EL gemahlener Koriander
1 EL gemahlener Kreuzkümmel
Saft von 2 Limonen
Salz und Pfeffer
450 g gekochte Garnelen, aus der Schale gelöst, Darm entfernt
4 EL Öl
1 große Zwiebel, in dünne Scheiben geschnitten
3 EL gehackte gesalzene Erdnüsse
100 ml Kokosmilch
2 EL frischer gehackter Koriander

OMELETT

2 Eier, geschlagen
1/2 TL Sesamöl
1 TL Öl

Chilischote, Knoblauch, Ingwer, Gelbwurz, Gewürznelken, Koriander und Kreuzkümmel mit dem Limonensaft und reichlich Gewürzen in einer Schüssel vermischen. Dann die Garnelen hinzugeben. Das Ganze gut durchmischen, abdecken und zum Marinieren etwa 2–3 Stunden beiseite stellen. Das Öl erhitzen, die Zwiebeln in die Pfanne geben und unter Rühren etwa 10 Minuten braten – bis sie braun zu werden beginnen. Dann die Garnelen mitsamt der Marinade dazugeben und 5 Minuten unter Rühren braten. Anschließend Kokosmilch und Erdnüsse daruntergeben und rühren, bis die Mischung aufkocht. Nun das Ganze abschmecken, auf eine Servierplatte geben und mit Koriander bestreuen.

Für das Omelett benötigen Sie eine große, flache Pfanne. Die Eier mit 2 EL Wasser, Sesamöl und ein wenig Gewürzen schlagen. Das Öl erhitzen, die Eimischung angießen und bei großer Hitze backen, bis die Unterseite fest und gebräunt ist. Mit einer großen, flachen Kelle das Omelett wenden und die andere Seite braun backen. Das Omelett anschließend in Streifen schneiden und in einem Gittermuster über die Garnelen legen. Sofort servieren.

DER KÜCHENCHEF EMPFIEHLT

Wenn Ihnen der Mut fehlt, das Omelett mit einem Pfannenheber zu wenden, lassen Sie es auf einen Teller gleiten und legen es danach umgekehrt in die Pfanne zurück, um die andere Seite zu backen.

Tintenfisch Provençal

FÜR 4 PERSONEN
8 mittelgroße Tintenfische
4 EL Weizenmehl
Salz und frisch gemahlener schwarzer Pfeffer
6 EL Olivenöl
1 Zwiebel, halbiert und in Scheiben geschnitten
1 grüne Paprikaschote, in dünne Scheiben geschnitten
1–2 Knoblauchzehen, zerdrückt
1 Lorbeerblatt
450 g reife Tomaten, geschält und geviertelt
50 g schwarze Oliven, entsteint und in Scheiben geschnitten
4 EL frische gehackte Petersilie

Zunächst den Tintenfisch vorbereiten (siehe rechts). Den Körpersack in Ringe schneiden und die Tentakel – sofern Sie sie verwenden – in kleine Stücke zerschneiden. Den Tintenfisch mit Küchenpapier abtrocknen und die einzelnen Stücke in eine Schüssel legen.

Mehl und reichlich Gewürze über die Stücke streuen. Das Öl erhitzen und den Tintenfisch scharf anbraten, bis er leicht gebräunt ist. Dann die Stücke mit einem Schaumlöffel aus der Pfanne heben und auf Küchenpapier abtropfen lassen.

Zwiebeln, Paprika, Knoblauch und Lorbeerblatt zum restlichen Öl in die Pfanne geben und diese Zutaten unter Rühren braten, bis Zwiebeln und Paprika leicht glasiert sind – etwa 5 Minuten. Danach die Tomaten hinzugeben und unter ständigem Rühren weitere 5 Minuten garen, bis die Tomaten weich, aber noch nicht breiig sind. Die Oliven und Gewürze zum Abschmecken einrühren; danach den Tintenfisch wieder in die Pfanne geben. Die Petersilie darüberstreuen und das Ganze bei großer Flamme etwa 1 Minute braten. Mit Reis oder knusprigem Brot servieren.

TINTENFISCH VORBEREITEN

Die Fangarme und den Kopf aus dem Körpersack herausziehen; auf diese Weise kommen alle Innereien zum Vorschein, die entfernt werden sollten. Wenn Sie die Tentakel mitkochen wollen, müssen Sie sie kurz unterhalb der Augen abschneiden. Den Rest des Kopfes wegwerfen. Den transparenten Schnorchel im Inneren des Körpersacks herausschneiden. Dann den Körper gründlich unter kaltem Wasser auswaschen und die gefleckte Haut abreiben. Die Tentakel vor dem Kochen ebenfalls gründlich abspülen. Alle Teile sorgfältig abtrocknen.

HUHN IN ZITRONENMARMELADE

Huhn mit Brokkoli und Cashewnüssen

FÜR 4 PERSONEN
1 EL Maisstärke
4 EL trockener Sherry
4 EL Sojasauce
100 ml Hühnerfond
1 TL Sesamöl
2 EL Sonnenblumen- oder Erdnußöl
4 große Hühnerfilets, in dünne Streifen geschnitten
50 g ungesalzene Cashewnüsse
250 g Brokkoliröschen, in kleine Stücke zerbrochen
200 g Bambussprossen aus der Dose, abgetropft und in Scheiben geschnitten
6 Frühlingszwiebeln, in diagonale Scheiben geschnitten

Die Maisstärke mit Sherry, Sojasauce und Hühnerfond zu einer dünnen, glatten Paste verrühren und beiseite stellen.

Sesam- und Sonnenblumen- oder Erdnußöl erhitzen; dann das Huhn und die Cashewnüsse unter Rühren braten, bis die Hühnerteile goldbraun und völlig gar sind und die Nüsse leicht gebräunt erscheinen.

Brokkoli, Bambussprossen und Frühlingszwiebeln hinzugeben und unter Rühren 3–4 Minuten braten, bis der Brokkoli angegart ist.

Die Maismischung noch einmal gut durchrühren, in die Pfanne gießen und unter Rühren bei mittlerer Hitze erhitzen, bis die Sauce kocht. Die Mischung unter ständigem Rühren etwa 1 Minute aufkochen lassen, so daß alle Zutaten von einer leicht angedickten Sauce umgeben sind. Sofort servieren.

Huhn in Zitronenmarmelade

Dieses würzige Hühnchengericht ist besonders einfach zuzubereiten und schmeckt mit neuen Kartoffeln und einem frischen Salat einfach phantastisch.

FÜR 4 PERSONEN
8 Hühnerfilets
2 EL Weizenmehl
Salz und frisch gemahlener schwarzer Pfeffer
1 EL Sonnenblumenöl
50 g Butter
1 Lorbeerblatt
1 Thymianzweig
geriebene Schale und Saft von 1 großen Zitrone
4 EL Zitronenmarmelade

GARNIERUNG (NACH WUNSCH)
Zitronenscheiben
Thymianzweige

Die Hühnerfilets in große Medaillons zerschneiden und die einzelnen Stücke in Mehl und reichlich Gewürzen wälzen.

Das Öl und die Hälfte der Butter erhitzen; dann das Lorbeerblatt, den Thymian und das Huhn unter Rühren braten, bis es goldbraun und völlig gar ist. Nun die Zitronenschale und den Saft hinzugeben und das Ganze unter ständigem Rühren etwa 30 Sekunden garen, bis die Hühnerstücke ganz mit Zitrone bedeckt sind.

Als nächstes die Marmelade mit 2 EL Wasser in die Pfanne geben und so lange rühren, bis sich die Marmelade aufgelöst und mit den anderen Zutaten zu einer brodelnden Masse verbunden hat. Die restliche Butter darunterrühren, um der Glasur Glanz und dem Gericht zusätzliches Aroma zu verleihen. Nach Wunsch mit Zitronenscheiben und Thymian garnieren und sofort servieren.

HUHN MIT BROKKOLI UND CASHEWNÜSSEN

PUTER MIT KASTANIEN UND ROSENKOHL

Puter mit Kastanien und Rosenkohl

Statt frischer Kastanien können Sie bei diesem Gericht auch eingelegte Kastanien aus der Dose verwenden.

FÜR 4 PERSONEN
450 g Kastanien
650 g Rosenkohl
450 g Putenbrustfilets, grob gewürfelt
3 EL Weizenmehl
Salz und Pfeffer
2 EL Öl
1 Zwiebel, gehackt
2 große Salbeizweige
1 Thymianzweig
250 ml Hühner- oder Puterfond
100 ml Apfelwein

Die Kastanien waschen und mit einem spitzen Messer der Länge nach einschneiden; dann in eine Kasserolle legen, mit Wasser bedecken und zum Kochen bringen. Die Hitze reduzieren und die Kastanien 15 Minuten lang köcheln lassen. Anschließend aus der Brühe nehmen, abtropfen lassen und die Kastanienschalen entfernen.

Große Rosenkohlröschen halbieren; dann das Gemüse in kochendem Wasser 2 Minuten blanchieren, abtropfen lassen und beiseite stellen.

Das Puterfilet in Weizenmehl und Gewürzen wälzen. Nun das Öl erhitzen und die Zwiebeln, Salbei und Thymian etwa 7 Minuten unter Rühren anbraten, bis die Zwiebeln glasig sind. Das Puterfleisch hinzufügen und unter Rühren braten, bis alle Teile goldbraun und gar sind. Kastanien und Rosenkohl dazugeben und weitere 5 Minuten kochen; dann den Hühnerfond und den Apfelwein angießen.

Das Ganze unter Rühren zum Kochen bringen; danach bei mittlerer Hitze 2 Minuten garen, bis die Flüssigkeit angedickt ist. Mit den restlichen Gewürzen abschmecken und servieren.

Huhn mit Zuckermais und Mandeln

FÜR 4 PERSONEN
6 Hühnerfilets, in 2,5 cm große Stücke geschnitten
2 EL Maisstärke
1 Eiweiß
1 TL Sesamöl
2 EL Öl
50 g ganze, blanchierte Mandeln
6 Frühlingszwiebeln, in diagonale Scheiben geschnitten
3 EL Sojasauce
2 EL Zitronensaft
4 EL Ingwerwein
200 g Zuckermais aus der Dose

Die Hühnerstücke in eine Schüssel legen, die Maisstärke hinzugeben und gut vermischen, bis alle Geflügelstücke paniert sind. Das Eiweiß leicht schlagen und zusammen mit dem Sesamöl über die Hühnerstücke gießen; das Ganze gut verrühren.

Das Öl erhitzen und die Mandeln unter Rühren goldbraun rösten. Nun mit einem Schaumlöffel die Mandeln aus der Pfanne nehmen und auf Küchenpapier abtropfen lassen. Die Hühnermischung noch einmal gut durchrühren und zum verbliebenen Öl in die Pfanne gießen. Das Ganze unter Rühren scharf anbraten, bis alle Teile goldbraun und völlig gar sind.

Nun die Frühlingszwiebeln hinzugeben und unter Rühren weitere 2 Minuten garen lassen; dann die Sojasauce, Zitronensaft und Ingwerwein angießen. Anschließend den Zuckermais einrühren und unter Rühren weitere 2 Minuten garen, bis das Ganze heiß und von der Kochbrühe glasiert ist. Zum Schluß die Mandeln darübergeben und sofort servieren.

Pikantes Hackfleisch mit Erbsen

Am besten servieren Sie dieses schnelle Hackfleischgericht und seine indische Raita-Gurkenbeilage zusammen mit duftendem Pilawreis oder heißem Nan-Brot.

FÜR 4 PERSONEN
450 g Lammgehacktes
2 EL gemahlener Koriander
1 TL gemahlener Ingwer
6 grüne Kardamomkapseln
2 Lorbeerblätter
Saft von 1 Zitrone
Salz und frisch gemahlener schwarzer Pfeffer
2 EL Öl
1 Zwiebel, gehackt
2 Knoblauchzehen, zerdrückt
1 Zimtstange
1 EL Kreuzkümmelsamen
1 EL Senfsamen
1 große Kartoffel, fein gewürfelt
100 g tiefgefrorene Erbsen
50 g Rosinen

BEILAGE
1/4 Salatgurke, geschält und fein gewürfelt
100 ml Naturjoghurt
1 EL frische gehackte Minze
Minzzweige, als Garnierung (nach Wunsch)

PIKANTES HACKFLEISCH MIT ERBSEN

Lammgehacktes mit Koriander, Ingwer, Kardamom, Lorbeerblättern und Zitronensaft in eine Schüssel geben, würzen und gründlich vermischen. Die Schüssel abdecken, beiseite stellen und – wenn möglich – mehrere Stunden oder sogar über Nacht im Kühlschrank marinieren lassen.

Das Öl erhitzen; Zwiebeln, Knoblauch, Zimt, Kreuzkümmel, Senf und Kartoffel hinzugeben und unter Rühren garen, bis die Kartoffelwürfel gut gebräunt sind. Achten Sie darauf, daß die Pfanne nicht überhitzt, da die Gewürze sonst anbrennen. Die Hackfleischmischung hinzugeben und so lange unter Rühren braten, bis das Fleisch gebräunt ist. Danach Erbsen und Rosinen einrühren und weitere 5 Minuten kochen lassen. Anschließend abschmecken und auf eine vorgewärmte Servierplatte legen.

Für die Beilage Salatgurke und Joghurt mit gehackter Minze mischen und unter das Lammgericht rühren. Nach Wunsch mit frischer Minze garnieren und sofort servieren.

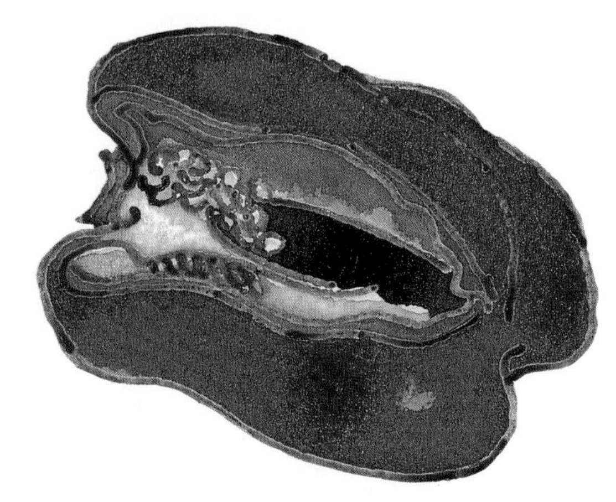

Kreolisches Hackfleisch

FÜR 4 PERSONEN
250 g Langkornreis
Salz und frisch gemahlener schwarzer Pfeffer
2 EL Öl
1 große Zwiebel, in dünne Scheiben geschnitten
1 grüne und 1 rote Paprikaschote, entkernt und in Scheiben geschnitten
2 Knoblauchzehen, zerdrückt
450 g gehacktes Steak
1 EL Chilipulver
2 x 425 g Tomaten aus der Dose, gehackt

GARNIERUNG
4 Tomaten, geschält und fein gewürfelt
3 EL frische gehackte Petersilie

Den Reis in einen Topf mit kochendem Salzwasser schütten. Das Wasser erneut zum Kochen bringen, dann die Hitze leicht reduzieren und zugedeckt 15–20 Minuten (oder bis zum Garwerden) köcheln lassen.

Das Öl erhitzen und Zwiebeln, Paprika und Knoblauch 5 Minuten unter Rühren garen. Danach das Gemüse auf eine Seite der Pfanne schieben und das Hacksteak in der Pfannenmitte unter Rühren braten, bis es gleichmäßig braun und gar ist. Chilipulver und reichlich Gewürze darüberstreuen; Paprika und Zwiebeln darunterrühren und weitere 2–3 Minuten kochen lassen. Anschließend die Tomaten darübergeben und die Mischung unter ständigem Rühren zum Kochen bringen. Danach bei mittlerer Hitze unter Rühren noch 5–7 Minuten garen lassen.

Den Reis abgießen und auf eine Servierplatte geben. Die Hackfleischmischung über den Reis schöpfen und mit gewürfelten Tomaten und gehackter Petersilie krönen.

Schweinefleisch süß-sauer

FÜR 4 PERSONEN
450 g Schweinegehacktes
1 TL Sesamöl
4 EL Maisstärke
1 Ei
2 EL Sojasauce
2 EL Öl
4 EL Sojasauce
3 EL Tomatenmark
4 EL brauner Rohzucker
2 EL Weißweinessig
250 g Ananasstücke und -saft aus der Dose
1 große Zwiebel, in große Stücke geschnitten
1 große grüne Paprikaschote, in große Stücke geschnitten
2 Möhren, in 2,5 cm lange Streifen geschnitten

SÜSS-SAURE SAUCE
1 TL Maisstärke
4 EL trockener Sherry

Schweinehack und Sesamöl gründlich miteinander vermischen; dann Maisstärke, Ei und Sojasauce auf die gleiche Art mit dem Fleisch vermengen. Sie benötigen einen Teller für die Schweinefleischbällchen. Die Hände in kaltem Wasser waschen und trocknen; dann eine kleine, etwa walnußgroße Menge der Hackfleischmischung nehmen und zu einem Bällchen formen. Dabei sollten die Hände immer wieder angefeuchtet werden, damit das Fleisch nicht an ihnen haften bleibt und die Bällchen eine glatte Oberfläche bekommen.

Vor dem Braten des Schweinefleischs sollten Sie die Sauce vorbereiten: Maisstärke mit 4 EL Wasser zu einer Paste vermischen, Sherry und Sojasauce dazugeben und danach Tomatenmark, Zucker und Essig hineinrühren. Anschließend den Ananassaft in die Mischung gießen.

Das Öl erhitzen und die Hackbällchen unter Rühren braten, bis sie gleichmäßig gebräunt und völlig gar sind. Danach die Bällchen mit einem Schaumlöffel aus der Pfanne heben.

Zwiebeln, Paprika und Möhren in das verbleibende Öl geben und etwa 5 Minuten unter Rühren garen, bis die Zwiebeln leicht glasig sind. Die Sauce noch einmal kräftig durchrühren, in die Pfanne gießen und unter ständigem Rühren zum Kochen bringen. Hackbällchen und Ananasstücke in die Pfanne geben und das Ganze bei reduzierter Hitze 3–4 Minuten unter Rühren garen. Mit Reis servieren.

Schweinefleisch mit Erdnußsauce

FÜR 4 PERSONEN

450 g mageres Schweinefleisch, in dünne Streifen geschnitten
2 EL Zitronen- oder Limonensaft
2 EL gemahlener Koriander
1 TL gemahlener Ingwer
1 Knoblauchzehe, zerdrückt
Salz und frisch gemahlener schwarzer Pfeffer
1 TL Sesamöl
4 EL Erdnußöl
1 Bund Frühlingszwiebeln, fein geschnitten

SAUCE

1 kleine Zwiebel, gehackt
2 Knoblauchzehen, zerdrückt
Saft von 1 Limone oder Zitrone
1/2 TL Chilipulver
4 EL Tahini
4 EL Erdnußbutter mit Stückchen
2 EL Sojasauce

SALAT

1/2 Eisbergsalat, fein geschnitten
1/2 Salatgurke, halbiert und in dünne Scheiben geschnitten

GARNIERUNG

Frühlingszwiebelringe
Limonen- oder Zitronenschnitze

Das Schweinefleisch in eine Schüssel legen und Zitronen- oder Limonensaft, Koriander, Ingwer, Knoblauch, Gewürze und Sesamöl hinzugeben. Gut umrühren, so daß alle Fleischstücke von der Würzsauce bedeckt sind. Die Schüssel abdecken und das Fleisch mehrere Stunden oder über Nacht in der Marinade ziehen lassen.

Für die Sauce Zwiebeln, Knoblauch, Limonen- oder Zitronensaft, Chilipulver und Tahini im Mixer zu einem Brei vermischen. Die Erdnußbutter mit 3–4 EL kochendem Wasser übergießen, um sie zu einer Paste aufzuweichen; dann den Brei und die Sojasauce daruntermischen. Falls nötig, die Sauce mit ein wenig mehr kochendem Wasser verdünnen.

Salatblätter und Gurkenscheiben zusammen mit den Frühlingszwiebelringen auf einer Servierplatte oder einzelnen Tellern arrangieren. Das Erdnußöl erhitzen; danach das Schweinefleisch in der Pfanne unter Rühren anbraten, bis es gebräunt und völlig gar ist. Die Frühlingszwiebeln hinzugeben und 1 Minute garen lassen. Das fertige Fleisch über die Salatblätter verteilen.

Mit dem Löffel ein wenig Erdnußsauce über das Schweinefleisch und die Frühlingszwiebeln geben; die restliche Sauce separat servieren. Mit Limonenschnitzen garnieren und sofort servieren.

DER KÜCHENCHEF EMPFIEHLT

Tahini ist eine beigefarbene Paste aus Sesamkörnern, die man in Reformhäusern und Asienläden erhält.

Schweinefleisch mit Orangen

Als Beilage für dieses Gericht eignen sich Nudeln, Reis oder Buchweizen. Sie können das Schweinefleisch aber auch in aufgeschnittene Folienkartoffeln füllen, in Pfannkuchen einrollen oder in Tacofladen servieren.

FÜR 4 PERSONEN

500 g mageres Schweinefleisch
3 Salbeizweige
geriebene Schale und Saft von 1 Orange
2 EL Weizenmehl
Salz und frisch gemahlener schwarzer Pfeffer
2 EL Öl
1 Zwiebel, halbiert und in dünne Scheiben geschnitten
250 g Möhren, in feine Streifen geschnitten
1 EL klarer Honig
2 EL trockener Sherry

Das Schweinefleisch gegen die Faserung in dünne Scheiben, dann in Streifen schneiden und in eine Schüssel legen.

Alle dicken Stengel vom Salbei entfernen, die Zweige fein schneiden (am einfachsten geht dies mit einer Schere) und sie zusammen mit der Orangenschale und dem Saft zum Fleisch geben. Das Ganze gut vermischen; dann die Schüssel abdecken und mindestens 2 Stunden marinieren lassen. Gekühlt kann das Fleisch bis zu 24 Stunden in der Marinade ziehen.

Mit einem Schaumlöffel das Fleisch aus der Marinade nehmen. Dabei sollte man die Stücke gegen den Innenrand der Schüssel pressen, um möglichst viel Flüssigkeit abtropfen zu lassen. Das Fleisch auf einen Teller legen und mit Mehl und reichlich Gewürzen bestreuen. Die Streifen leicht in der Gewürzmischung wälzen.

Das Öl erhitzen; dann Zwiebeln und Möhren etwa 3–4 Minuten unter Rühren garen. Nun das Fleisch hinzugeben und unter ständigem Rühren braten, bis die Streifen gleichmäßig gebräunt und gar sind. Anschließend die Marinade, den Honig und den Sherry angießen. Die Mischung gut durchrühren, bis die Flüssigkeit kocht und leicht andickt, so daß die Zutaten von einer Glasur überzogen sind. Sofort servieren.

Chilifleisch mit Erdnüssen und Pfirsich

Diese pikante Mischung aus Schweinefleisch und Erdnüssen läßt sich sehr gut mit Reis, Folienkartoffeln oder Tacos kombinieren. Sie können ihr mit ein wenig extra Chilipulver mehr Schärfe verleihen oder durch eine Reduzierung der Gewürze ein mildwürziges Gericht erhalten.

FÜR 4 PERSONEN

450 g mageres Schweinefleisch, in dünne Streifen geschnitten
1 TL Chilipulver
1 TL gemahlener Piment
2 Knoblauchzehen, zerdrückt
2 TL Sesamöl
2 EL Öl
1 Zwiebel, in dünne Scheiben geschnitten
50 g geröstete Erdnüsse
250 g Brechbohnen, blanchiert
425 g Pfirsichstücke aus der Dose, abgetropft
Salz und frisch gemahlener schwarzer Pfeffer
250 ml saure Sahne, zum Servieren

Das Schweinefleisch in eine Schüssel legen und mit Chilipulver, Piment, Knoblauch und Sesamöl vermischen. Die Schüssel abdecken und das Fleisch mindestens 2 Stunden oder über Nacht im Kühlschrank in der Marinade ziehen lassen.

Das Öl erhitzen; die Zwiebeln in die Pfanne geben und unter Rühren 5 Minuten anbraten. Dann das Fleisch hinzugeben und unter Rühren braten, bis es gleichmäßig leicht gebräunt ist. Die Erdnüsse hinzufügen und weitere 2 Minuten garen lassen; danach die Bohnen und Pfirsiche daruntermischen und das Ganze etwa 5 Minuten garen, so daß das Gemüse kochend heiß und das Schweinefleisch durch ist. Abschmecken und sofort servieren; als Beilage saure Sahne reichen.

CHILIFLEISCH MIT ERDNÜSSEN UND PFIRSICH

Schweinefleisch mit Süßkartoffeln

Diese Rezept entstand unter dem Einfluß der karibischen Küche. Ich hoffe, daß Ihnen die etwas ausgefallene Kombination von Kochmethode und Zutaten gefällt. Dieses Gericht läßt sich sehr gut mit einem erfrischenden Salat oder fein geraspelter Sellerie, Salatgurken, Frühlingszwiebeln, Ananas und etwas knusprigem Brot servieren; Sie können aber auch einen Topf Reis mit roten Bohnen kochen und erhalten so ein wirklich herzhaftes Essen.

FÜR 4 PERSONEN

1 große Süßkartoffel, sorgfältig gewaschen
500 g mageres Schweinefleisch, fein gewürfelt
2 TL Zimt
frisch gemahlener Muskat
Prise gemahlene Gewürznelken oder 3 ganze Gewürznelken
1 Knoblauchzehe, zerdrückt
3 Thymianzweige
geriebene Schale und Saft von 1 Limone
Salz und Pfeffer
4 EL Erdnußöl
2 grüne Chilischoten, entkernt und gehackt
1 Paprikaschote, entkernt und fein gewürfelt
1 Zwiebel, in dünne Scheiben geschnitten
25 g Rosinen
6 Tomaten, geschält und grob gehackt

Die Süßkartoffel in einem Topf mit kochendem Wasser 20 Minuten lang kochen, bis sie gabelfest ist (wenn die Kartoffel zu gar ist, bricht sie auseinander, wenn man sie mit dem Fleisch unter Rühren brät). Die Kartoffel unter kaltem Wasser abkühlen; dann abtropfen lassen, die Haut abziehen und in große Würfel schneiden (etwa 2,5 cm).

In der Zwischenzeit das Schweinefleisch in eine Schüssel legen und Zimt, reichlich Muskat, die Gewürznelken, Knoblauch, Thymian sowie Limonenrinde und Saft darübergeben. Das Ganze abschmecken und die Würzmischung mit dem Fleisch vermischen. Falls zeitlich möglich, die Schüssel abdecken, beiseite stellen und das Fleisch einige Stunden marinieren lassen.

Das Öl erhitzen, das Fleisch mit allen Gewürzen in die Pfanne geben und bei relativ großer Flamme unter Rühren braten, bis es gut gebräunt ist. Danach mit einem Schaumlöffel das Fleisch herausnehmen und Chilischoten, Paprika und Zwiebeln zum verbleibenden Öl in die Pfanne geben. Das Gemüse bei mittlerer Hitze 5–7 Minuten unter Rühren garen, bis die Zwiebeln glasig werden. Nun die Süßkartoffelwürfel dazugeben; dabei vorsichtig weiterrühren, damit die Kartoffeln nicht auseinanderbrechen, bis die Würfel sehr heiß und völlig gegart sind.

Rosinen und Tomaten darunterrühren, das Fleisch wieder in die Pfanne geben und mit dem Gemüse vermischen. Die Mischung mit 4 EL Wasser anfeuchten und unter weiterem Rühren so viel Wasser hinzugeben, daß die Zutaten saftig, aber nicht feucht erscheinen. Das Schweinefleisch sollte kochend heiß sein, die Rosinen prall und die Tomaten matschig, aber die Süßkartoffelwürfel müssen (gerade noch) ihre Form behalten. Abschmecken und vor dem Servieren nachwürzen.

BUCHWEIZEN KOCHEN

Gerösteter Buchweizen besitzt einen nußartigen Geschmack. Zubereitung für 4 Personen: 200 g Buchweizen in eine Kasserolle geben und 500 ml Wasser hineingießen. Etwas Salz hinzugeben und zum Kochen bringen. Den Topf dicht verschlossen halten, die Hitze auf die niedrigste Stufe reduzieren und 30 Minuten garen lassen. Den Buchweizen mit der Gabel lockern und servieren.

SCHWEINEFLEISCH MIT SAUERKRAUT

Schweinefleisch mit Sauerkraut

Servieren Sie dieses schlichte, aber schmackhafte Essen mit gekochten oder Folienkartoffeln oder Buchweizen.

FÜR 4 PERSONEN

500 g mageres Schweinefleisch, fein gewürfelt
1 TL Paprika
1 Knoblauchzehe, zerdrückt
1 EL Kümmelsamen (nach Wunsch)
Salz und frisch gemahlener schwarzer Pfeffer
3 EL Öl
1 Zwiebel, gehackt
1 Lorbeerblatt
1 großer Salbeizweig
2 aromatische Eßäpfel, geschält, ohne Kerngehäuse und fein gewürfelt
500 g Sauerkraut, gut abgetropft und fein geschnitten
100 ml saure Sahne oder griechischer Joghurt

Schweinefleisch, Paprika, Knoblauch, Kümmel (nach Wunsch) miteinander vermischen und abschmecken, so daß das Fleisch völlig von der Würzmischung bedeckt ist. Das Fleisch wird aromatischer, wenn Sie es einige Stunden (oder über Nacht im Kühlschrank) in der Marinade ziehen lassen, was aber nicht unbedingt nötig ist.

Das Öl erhitzen; Zwiebeln, Lorbeerblatt und Salbei in die Pfanne geben und unter Rühren 3 Minuten garen. Das Schweinefleisch dazugeben und bei relativ großer Hitze unter Rühren 5 Minuten anbraten. Dann die Apfelstücke hinzugeben und weiterrühren, bis das Schweinefleisch gebräunt und gar ist. Anschließend das Sauerkraut dazugeben und ein paar Minuten garen lassen.

Wenn das Sauerkraut kochend heiß ist, die saure Sahne oder den Joghurt einrühren, um die Mischung anzufeuchten. Abschließend das Gericht abschmecken und einige Sekunden unter Rühren garen; aber kochen Sie es nicht zu lange, da die Sahne oder der Joghurt sonst gerinnen.

Succotash mit Räucherwürstchen

Hierbei handelt es sich um eine schnelle Variante des amerikanischen Eintopfs aus Bohnen und Zuckermais.

FÜR 4 PERSONEN

ein kleines Stück Butter
1 kleine Zwiebel, feingehackt
350 g geräucherte Schweinswürstchen, in Scheiben geschnitten
250 g tiefgefrorener Zuckermais
2 x 425 g Limabohnen aus der Dose
3 reife Tomaten, geschält, entkernt und fein gewürfelt
150 ml Kaffeesahne (10% Fettgehalt)
Salz und Pfeffer
2 EL frische gehackte Petersilie

Die Butter zerlassen; dann Zwiebeln und Würstchen zusammen in die Pfanne geben und unter Rühren anbraten, bis die Zwiebeln glasig und die Wurstscheiben leicht gebräunt und saftig sind – etwa 8 Minuten.

Zuckermais und Limabohnen dazugeben und unter Rühren 5 Minuten garen, bis der Mais aufgetaut und gar ist. Danach die Tomaten einrühren und 1 Minute kochen lassen; zum Schluß die Kaffeesahne dazugeben und mit Pfeffer und Salz abschmecken. Das Ganze sanft erhitzen, aber nicht zum Kochen bringen, da sonst die Sahne gerinnt. Das fertige Gericht zum Schluß noch einmal abschmecken, mit Petersilie bestreuen und servieren.

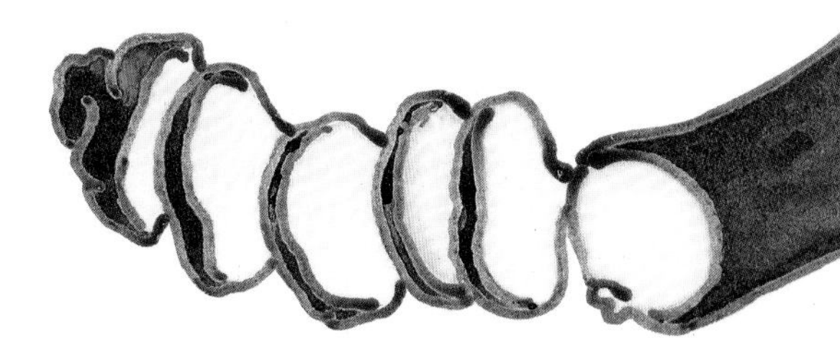

WÜRSTCHENEINTOPF

Würstcheneintopf

Dieser würzige Eintopf schmeckt gut zu Folienkartoffeln, Tacos, Pfannkuchen oder als Füllung eines warmen Pittabrotes. Als Beilage eignet sich (je nach Wunsch) Naturjoghurt oder saure Sahne.

FÜR 4 PERSONEN

250 g Schweinswürstchen, ohne Haut
50 g frische Brotkrumen
1 Zwiebel, gerieben
50 g getrocknete Aprikosen, gehackt
1 TL getrockneter Majoran oder Oregano
Salz und Pfeffer
4 EL Öl
450 g Kartoffeln, fein gewürfelt
250 g geschnittene Brechbohnen oder Dicke Bohnen, blanchiert
reichlich frische gehackte Petersilie

Würstchenfleisch, Brotkrumen, Zwiebeln, Aprikosen, Marjoran oder Oregano würzen und gründlich miteinander vermischen. Mit zwei Löffeln aus der Masse etwa walnußgroße Klümpchen formen – die Form muß nicht allzu genau eingehalten werden, da das Fleisch während des Kochens in kleine Stückchen zerfällt.

Das Öl erhitzen und die Kartoffeln unter Rühren braten, bis sie goldbraun und knusprig sind. Dabei die Hitze sorgfältig kontrollieren, damit das Öl nicht überhitzt. Danach das Würstchenfleisch dazugeben und bei mittlerer Hitze unter Rühren anbraten, bis das Fleisch gar ist. Die Bohnen hinzugeben und 3–5 Minuten garen, bis sie kochend heiß sind. Mit reichlich Petersilie bestreuen und servieren.

Chili-Frankfurter

Dieses leckere Gericht ist leicht zuzubereiten und schmeckt besonders gut zu Reis oder Folienkartoffeln. Verwenden Sie nur Frankfurter Würstchen von bester Qualität und passen Sie die Anzahl und Art der Chilischoten Ihren persönlichen Vorlieben und Eßgewohnheiten an – wenn Sie lieber milde Chilischoten verwenden, können Sie vier Stück nehmen; bei besonders scharfen Chilies sind zwei Schoten fast schon mehr als genug.

FÜR 4 PERSONEN

2 EL Öl
1 große Zwiebel, gehackt
2 Knoblauchzehen, zerdrückt
2–4 grüne Chilischoten, entkernt und gehackt
1 grüne Paprikaschote, entkernt und gehackt
8–12 Frankfurter Würstchen (je nach Größe), in Scheiben geschnitten
1 EL gemahlener Kreuzkümmel
1 EL getrockneter Majoran
Salz und Pfeffer
2 x 425 g Kidneybohnen aus der Dose, abgetropft
2 x 425 g Tomaten aus der Dose, gehackt

Das Öl erhitzen; Zwiebeln, Knoblauch, Chilischoten und Paprika dazugeben und unter Rühren 4–5 Minuten garen. Die Frankfurter in die Pfanne geben und unter regelmäßigem Rühren etwa 10 Minuten braten, bis die Würstchen gebräunt sind.

Dann Kreuzkümmel, Majoran, Pfeffer und Salz darüberstreuen und das Ganze 1 weitere Minute garen, bevor die Kidneybohnen und die Tomaten dazukommen. Die Zutaten gut durchrühren und zum Kochen bringen; danach die Mischung unter ständigem Rühren 3 Minuten köcheln lassen. Sofort servieren.

CHILISCHOTEN ENTKERNEN

Da die Kerne von Chilischoten sehr scharf sind, sollten Sie sie auf jeden Fall entfernen. Das Stengelende der Schote abschneiden und die Chili der Länge nach aufschneiden. Kerngehäuse und Mark herausschneiden und die verbliebenen Kerne unter kaltem Wasser auswaschen. Da die Säfte von Chilischoten die Haut reizen, sollten Sie bei dieser Arbeit auf keinen Fall Ihr Gesicht (und vor allem nicht die Augen) berühren.

SCHINKEN MIT BLUMENKOHL

Schinken mit Blumenkohl

Ein gutes Rezept für preiswerte Reste oder Kantenstücke vom Schinken.

FÜR 4 PERSONEN

1 kleiner Blumenkohl, geputzt, in Röschen zerbrochen
450 g Schinken, grob gewürfelt
2 EL Weizenmehl
frisch gemahlener schwarzer Pfeffer
1 EL Fenchelsamen (nach Wunsch)
2 EL Öl
1 große Zwiebel, gehackt
1 Lorbeerblatt
2 große Salbeizweige
250 ml ungesüßter Apfelsaft

Den Blumenkohl in eine große Kasserolle mit kochendem Wasser geben. Das Wasser erneut zum Kochen bringen und 1 Minute kochen lassen; anschließend die Röschen herausheben, abtropfen lassen und beiseite stellen.

Den Schinken in Mehl, reichlich Pfeffer und Fenchelsamen (nach Wunsch) wälzen. Das Öl erhitzen und den Schinken sowie alles verbliebene Mehl in die Pfanne geben. 1 Minute unter Rühren anbraten; Zwiebeln, Lorbeerblatt und Salbei hinzugeben. Die Mischung unter Rühren braten, bis die Schinkenwürfel gleichmäßig gebräunt und völlig gar sind. Den Blumenkohl darübergeben und unter Rühren weitere 3 Minuten garen. Den Apfelsaft angießen und die Sauce unter ständigem Rühren zum Kochen bringen. 2–3 Minuten kochen lassen, dann sofort servieren.

Pikante Nierchen

FÜR 4 PERSONEN

4 EL trockener Sherry
1 EL Dijon-Senf
ein Spritzer Worcestersauce
1 EL Kapern, gehackt
450 g Lammnieren, halbiert und ohne Harnstrang
4 EL Weizenmehl
1/2 TL gemahlene Muskatblüte
1/2 TL getrockneter Thymian
Salz und frisch gemahlener schwarzer Pfeffer
2 EL Öl
100 g Frühstücksspeck, gehackt
1 Zwiebel, feingehackt
100 g Champignons, halbiert
4 EL Naturjoghurt
frische gehackte Petersilie, zum Servieren

Sherry, Senf, Worcestersauce und Kapern mischen und beiseite stellen. Die Nierchen in Mehl, Muskatblüte, Thymian, Pfeffer und Salz wälzen, bis sie gleichmäßig paniert sind.

Das Öl erhitzen; dann Speck und Zwiebeln unter Rühren etwa 8 Minuten anbraten, bis die Zwiebeln glasig sind und der Speck gebräunt ist. Die Nierchen dazugeben und etwa 6 Minuten unter ständigem Rühren scharf anbraten, bis sie gebräunt sind und sich die Poren geschlossen haben. Nun die Pilze in die Pfanne geben und unter Rühren weitere 5 Minuten garen. Zum Schluß die Sherrysauce angießen.

Das Ganze bei etwas weniger starkem Rühren kochen lassen, bis die Flüssigkeit brodelnd heiß ist und die Nierchen durch sind.

Das fertige Gericht auf verschiedene Teller verteilen und jede Portion mit ein wenig Joghurt und reichlich Petersilie krönen.

PIKANTE NIERCHEN

Paprika-Leber

Servieren Sie dieses Lebergericht mit Paprika auf einem Bett aus gekochten Nudeln und reichen Sie einen knackigen grünen Salat als Beilage.

FÜR 4 PERSONEN
- 350 g Lammleber, in Streifen geschnitten
- 4 EL Weizenmehl
- 1 EL Paprikapulver
- Salz und frisch gemahlener schwarzer Pfeffer
- ein kleines Stück Butter
- 2 EL Öl
- 1 Knoblauchzehe, zerdrückt
- 1 Zwiebel, in dünne Scheiben geschnitten
- 1 rote Paprikaschote, entkernt und in dünne Scheiben geschnitten
- 1 grüne Paprikaschote, entkernt und in dünne Scheiben geschnitten
- 100 ml Hühnerfond
- 425 g Tomaten aus der Dose, gehackt
- 12 mit roter Paprika gefüllte grüne Oliven, in Scheiben geschnitten

Die Leber in Mehl, Paprika und reichlich Pfeffer und Salz wälzen. Butter und Öl erhitzen, Knoblauch, Zwiebel und Paprikascheiben in die Pfanne geben und 8 Minuten unter Rühren garen. Danach die Mischung auf eine Seite der Pfanne schieben und die Leberstreifen unter kräftigem Rühren anbraten, bis sie gleichmäßig gebräunt und leicht gegart sind.

Den Hühnerfond angießen, die Tomaten dazugeben und unter ständigem Rühren zum Kochen bringen. Das Ganze 5 Minuten köcheln lassen; dabei gelegentlich umrühren. Abschmecken, mit gefüllten Oliven garnieren und servieren.

FLAGEOLETT-BOHNEN MIT SPINAT

Flageolett-Bohnen mit Spinat

Dieses schnell zubereitete, fleischlose Hauptgericht ist ideal für heiße Sommertage, an denen man seine Zeit besser im Freien verbringen sollte, als stundenlang in der Küche zu schwitzen.

FÜR 4 PERSONEN

500 g frischer Spinat, geputzt und gewaschen
ein kleines Stück Butter
2 EL Olivenöl
6 Frühlingszwiebeln, gehackt
2 x 425 g Flageolett-Bohnen aus der Dose, abgetropft
2 kleine Zucchini, geputzt und in dünne Scheiben geschnitten
2 EL frisch gehackte Minze
mehrere große Basilikumstengel, Blätter fein geschnitten
250 g Feta-Käse, zerbröckelt
Salz und frisch gemahlener schwarzer Pfeffer

Die tropfnassen Spinatblätter in eine große Kasserolle pressen. Den Topf mit einem Deckel verschließen und auf eine große Flamme stellen. Unter häufigem Schütteln der Kasserolle etwa 5 Minuten kochen lassen, bis die Spinatblätter zusammengefallen sind. Die Blätter durchrühren, erneut abdecken und weitere 2 Minuten garkochen. Dann den Spinat abtropfen lassen, wieder in die Stielpfanne legen und ein Stück Butter dazugeben. Das Ganze abdecken und auf kleiner Flamme warmhalten.

Das Öl erhitzen; Frühlingszwiebeln, Flageoletts (eine kleine grüne Bohnensorte, die aus Amerika stammt) und Zucchini in die Pfanne geben und 5 Minuten unter Rühren braten, bis die Zucchini leicht gegart sind. Den Spinat auf eine Servierplatte oder vier einzelne Teller verteilen. Minze, Basilikum und Feta-Käse über das Gemüse streuen, durchmischen und nach Wunsch abschmecken. Zum Schluß das Gemüse über den Spinat verteilen und sofort servieren.

Sultans-Leber

FÜR 4 PERSONEN

200 g gerösteter Buchweizen, gekocht (siehe S. 32)
1 kleine Aubergine, geputzt und in kleine Würfel geschnitten
Salz und frisch gemahlener schwarzer Pfeffer
4 EL Olivenöl
350 g Lammleber, in dünne Streifen geschnitten
2 Knoblauchzehen, zerdrückt
4 Gewürznelken
1 Zimtstange
3 EL Pinienkerne
50 g Sultaninen
2 TL getrockneter Oregano
500 g Tomaten, geschält, entkernt und geviertelt

Den Buchweizen kochen, abdecken und bis zum Servieren beiseite stellen. In der Zwischenzeit die Auberginenwürfel in ein Sieb legen und mit Salz bestreuen. Das Sieb über eine Schüssel legen und 15 Minuten abtropfen lassen; dann die Auberginen abspülen und mit Küchenpapier trockentupfen.

Das Öl erhitzen; Leberstreifen, Knoblauch, Gewürznelken und Zimtstange in die Pfanne geben und unter Rühren braten, bis die Leber bißfest ist – etwa 3 Minuten. Auberginen, Pinienkerne, Sultaninen, Oregano, Pfeffer und Salz dazugeben und unter Rühren braten, bis die Leberstreifen gar und die Auberginenwürfel leicht gegart, aber noch fest sind.

Danach die Tomaten einrühren und unter ständigem Rühren 5 Minuten garen lassen, bis alle Zutaten gekocht sind und ihre Aromen sich miteinander vermischt haben.

Den Buchweizen mit einer Gabel lockern und auf eine Servierplatte oder vier einzelne Teller verteilen. Die Lebermischung über den Buchweizen geben und sofort servieren.

MENÜS AUS DER PFANNE

Dieses Kapitel enthält eine breite Palette von Rezepten, die so sättigend und ausgewogen sind, daß sie ein vollständiges Hauptgericht bilden. Die Auswahl reicht von Gerichten wie Fischbällchen mit Nudeln oder Lamm mit Minze und Gemüse, die sich sehr gut für ein gemütliches Essen mit Freunden eignen, bis hin zu Rosenkohl mit Salami oder einer Brotzeit mit Speck, die Sie als typisches Alltags-Abendessen verwenden können.

Auch wenn die hier vorgestellten Rezepte eine vollständige Mahlzeit darstellen, läßt sich jedes Hauptgericht mit einem knackigen Salat abrunden. Und etwas warmes Brot – egal ob Pitta, Nan, Weißbrot oder Vollkornbrot – kann man immer brauchen, wenn es darum geht, die letzten Bratensäfte aufzutunken.

Wenn Sie für mehr als zwei Personen kochen wollen, sollten Sie eine relativ große Pfanne – eine Kasserolle oder Sautierpfanne wenn nicht einen Wok – verwenden, die alle Zutaten aufnehmen kann. Servieren Sie Ihr fertiges Gericht ruhig aus der Pfanne oder in informellen Schüsseln oder Portionsschalen. Und falls Sie gut damit umgehen können, denken Sie daran, daß sich Eßstäbchen für die meisten dieser gemischten Hauptgerichte ebensogut eignen wie für chinesische Spezialitäten.

GOLDENER FISCH MIT KARTOFFELN

Goldener Fisch mit Kartoffeln

FÜR 4 PERSONEN
4 EL Weizenmehl
1/2 TL Gelbwurz
Salz und frisch gemahlener weißer Pfeffer
geriebene Schale von 1 Zitrone
500 g Seeteufel, Kabeljaufilet oder anderer fester Weißfisch, gehäutet und grob gewürfelt
3 EL Öl
2 Stangensellerie, in dünne Scheiben geschnitten
1 kleine Zwiebel, feingehackt
250 g Brechbohnen, in kochendem Wasser 1 Minute blanchiert und abgetropft
650 g kleine neue Kartoffeln, gewaschen und gekocht

Mehl, Gelbwurz, Pfeffer und Salz sowie Zitronenschale miteinander mischen; dann die Fischwürfel in dieser Mischung wälzen, bis sie völlig paniert sind.

Das Öl erhitzen; Sellerie und Zwiebeln in die Pfanne geben und unter Rühren angaren, etwa 7 Minuten. Bohnen und Kartoffeln hinzugeben und weitere 5–7 Minuten unter Rühren garen, bis sämtliches Gemüse heiß und gar ist.

Das Gemüse auf eine Seite der Pfanne schieben und den Fisch in die Pfanne legen. Die Würfel bei mittlerer bis großer Hitze unter Rühren goldbraun anbraten, wobei sie nicht auseinanderbrechen sollten. Zum Schluß die verschiedenen Zutaten miteinander vermischen und sofort servieren.

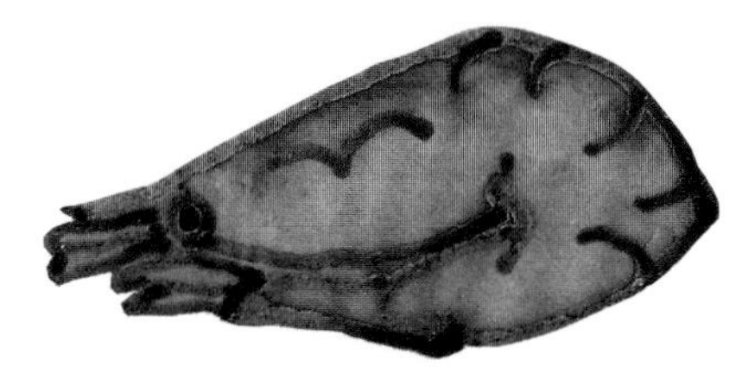

Fischbällchen mit Nudeln

FÜR 4 PERSONEN
500 g Weißfisch, gehäutet und in große Stücke geschnitten
3 EL Maisstärke
1 Eiweiß
Salz und frisch gemahlener weißer Pfeffer
350 g chinesische Eiernudeln
3 EL Öl
4 dünne Scheiben frische Ingwerwurzel
1 Stück Zitronengras oder ein Streifen Zitronenschale
1 Selleriestange, diagonal in dünne Scheiben geschnitten
1 Bund Frühlingszwiebeln, in Scheiben geschnitten
100 g Zuckererbsen, geputzt
3 EL Sojasauce
3 EL trockener Sherry

Fischstücke und Mehl mit einer Gabel zu einer Paste zerdrücken; danach das Eiweiß und die Gewürze damit vermischen. Nun mit angefeuchteten Händen die Mischung zu kleinen Bällchen formen; dabei die Bällchen fest zusammendrücken, so daß sie nicht auseinanderfallen.

Die Nudeln in die Pfanne legen und mit kochendem Wasser übergießen, bis sie bedeckt sind. Das Wasser erneut zum Kochen bringen und 2 Minuten kochen lassen; anschließend die Nudeln abgießen und beiseite stellen.

Das Öl erhitzen; Ingwer und Zitronengras oder Zitronenschale in die Pfanne geben und 1 Minute unter Rühren garen. Dann die Fischbällchen dazugeben und unter Rühren braten, bis sie leicht gebräunt und fest sind. Sellerie, Frühlingszwiebeln und Zuckererbsen darunterrühren und das Ganze weitere 5–8 Minuten garen, bis das Gemüse zart ist, aber noch Biß hat.

Nudeln, Sojasauce und Sherry dazugeben und auf großer Flamme unter Rühren garen, bis die Nudeln vollständig erhitzt sind. Sofort servieren.

Nudeln à la Szetschuan

FÜR 4 PERSONEN

350 g chinesische Eiernudeln
1 EL Maisstärke
2 EL trockener Sherry
4 EL Hühnerfond
4 EL helle Sojasauce
4 EL Öl
2 grüne Chilischoten, entkernt und gehackt
2 Knoblauchzehen, zerdrückt
5 cm langes Stück frische Ingwerwurzel, geschält und in feine Streifen geschnitten
250 g mageres Schweinefleisch, in feine Streifen geschnitten
1 rote Paprikaschote, entkernt und in feine, kurze Streifen geschnitten
1 Bund Frühlingszwiebeln, diagonal in feine Scheiben geschnitten
200 g Bambussprossen aus der Dose, abgetropft und in Streifen geschnitten
2,5 cm dicke Scheibe Chinakohl, in einzelne Stücke zerlegt

Die Nudeln in die Pfanne legen und mit kochendem Wasser übergießen, bis sie bedeckt sind. Das Wasser erneut zum Kochen bringen und 2 Minuten kochen lassen; anschließend die Nudeln abgießen und beiseite stellen. Während die Nudeln kochen, Maisstärke, Sherry, Hühnerfond und Sojasauce miteinander vermischen; danach beiseite stellen.

Die Pfanne auswischen und das Öl darin erhitzen. Die Nudeln hineingeben, ausbreiten und auf mittlerer bis großer Flamme braten, bis ihre Unterseite knusprig und golden ist; drücken Sie sie dabei immer wieder gegen den Pfannenboden, so daß sich ein dünner Kuchen ergibt – die Nudeln werden diese Form mehr oder weniger behalten. Danach die Nudeln mit Hilfe einer großen, flachen Kelle wenden und die andere Seite braten. Dabei dürfen die Nudeln etwas auseinanderbrechen – sie müssen nicht alle gleich knusprig werden, ein Teil kann ruhig noch weich sein. Anschließend die Nudeln auf eine große Servierplatte heben und warmhalten.

Chilischoten, Knoblauch, Ingwer und Schweinefleisch zum verbleibenden Öl in die Pfanne geben und bei großer Hitze unter Rühren braten, bis das Schweinefleisch gebräunt ist. Danach Paprika und Frühlingszwiebeln hinzugeben und weitere 2 Minuten unter Rühren braten; schließlich die Bambussprossen in die Pfanne geben und 1 Minute erhitzen.

Die Maisstärkemischung noch einmal gut durchrühren und in die Pfanne gießen. Das Ganze zum Kochen bringen und unter ständigem Rühren 30 Sekunden auf großer Flamme kochen. Den Chinakohl daruntermischen und unter Rühren knapp 1 Minute erhitzen. Die fertige Schweinefleischmischung über die Nudeln verteilen und sofort servieren.

Lammfleisch mit Kichererbsen und Fenchel

Aufgrund ihres Geschmacks bilden Lamm und Kichererbsen ein ideales Paar, und der knackige, aromatische Fenchel gibt diesem Rezept (das zu meinen Lieblings-Pfannengerichten zählt) noch den letzten Pfiff.

FÜR 4 PERSONEN

- Salz und frisch gemahlener schwarzer Pfeffer
- 350 g mageres Lammfleisch, in feine Streifen geschnitten (Lammkeule oder Lammfilet sind ideal)
- frisch geriebener Muskat
- 1 TL getrockneter Oregano
- 3 Rosmarinzweige
- 1 Knoblauchzehe, zerdrückt
- 100 ml Rotwein (möglichst mit vollem Bukett)
- 3 EL Olivenöl
- 1 kleine Zwiebel, halbiert und in dünne Scheiben geschnitten
- 2 Fenchelknollen, in dünne Scheiben geschnitten
- 2 x 425 g Kichererbsen aus der Dose, abgetropft
- 2 TL Pfeilwurz

Das Lammfleisch in eine Schüssel legen, gut würzen und mit Muskat, Oregano, Rosmarin und Knoblauch (nach Wunsch) bestreuen. Den Wein dazugießen, die Schüssel abdecken und das Fleisch einige Stunden oder länger (möglichst über Nacht) in der Marinade ziehen lassen.

Das Öl erhitzen und die Zwiebeln 5 Minuten unter Rühren anbraten. Mit einem Schaumlöffel das Lammfleisch in die Pfanne heben; die Marinade beiseite stellen. Das Fleisch bei relativ großer Hitze unter Rühren braten, bis alle Streifen gebräunt sind. Den Fenchel hinzugeben und weitere 10 Minuten unter Rühren garen; dabei die Hitze reduzieren, damit das Fleisch nicht zerkocht. Der Fenchel sollte zart, aber nicht zu weich sein.

Die Kichererbsen dazugeben und 2–3 Minuten in der Pfanne erhitzen. Nun die Marinade angießen und unter Rühren zum Kochen bringen; danach 2 Minuten köcheln lassen.

Die Pfeilwurz mit 4 EL Wasser vermischen, in die Pfanne gießen und unter Rühren bei mittlerer Hitze kochen, bis die Flüssigkeit brodelt und wie eine dünne Glasur die Zutaten überzieht. Danach die Pfanne sofort von der Flamme nehmen, da die Pfeilwurz immer dünner wird, wenn man sie köcheln läßt. Das Gericht abschmecken und sofort servieren. Dazu reicht man knuspriges Brot zum Auftunken der Sauce.

Hühnerbällchen mit Reisstäbchen

Diese Gericht habe ich zum ersten Mal gekocht, nachdem ich einen Tag zuvor beim Anfertigen von Hühnerbällchen für ein japanisches Essen etwas zu großzügig gewesen war. Zusammen mit Reisstäbchen, Zuckererbsen, Gurken und einer Reihe anderer übriggebliebener Zutaten ergaben diese Reste ein großartiges Pfannengericht.

FÜR 4 PERSONEN

3 Hühnerbrüste, zerkleinert
4 EL Weizenmehl
3 EL Reiswein oder trockener Sherry
5 EL Sojasauce (wenn möglich japanische Sojasauce verwenden)
1 kleines Ei
1 Bund Frühlingszwiebeln
Salz und Pfeffer
2 TL Zucker
250 g Reisstäbchen
3 EL Erdnußöl
2 kleine Möhren, der Länge nach in sehr dünne Streifen geschnitten
250 g Zuckererbsen, geputzt
1/2 Salatgurke, geschält, quer halbiert und der Länge nach in dünne Scheiben geschnitten

Das Hühnerfleisch läßt sich am besten in einem Mixer zerkleinern. Sie können es aber auch mit einem großen Küchenmesser in Handarbeit kleinhacken: auf diese Weise wird sich das Hühnerfleisch aus kleinen Würfel schließlich in ein feines Hühnerhack verwandeln.

Mehl und Hühnerfleisch mischen, dabei die Mischung gründlich mit einer Gabel zerdrücken. Je 1 EL Reiswein oder trockenen Sherry und Sojasauce dazugießen und das Ei darunterrühren. Die weißen Teile von 2 Frühlingszwiebeln fein hacken und mit den Gewürzen in die Mischung geben. Wenn alle Zutaten gut vermengt sind, könnte Ihnen die Mischung etwas zu weich vorkommen – aber wenn die Paste zu fest ist, fallen die fertigen Hühnerbällchen zu zäh aus. Mischung abdecken und 30 Minuten im Gemüsefach des Kühlschranks (oder 15 Minuten im Gefrierfach) abkühlen lassen.

Den verbliebenen Reiswein und die restliche Sojasauce mit dem Zucker mischen und erhitzen. Die Mischung unter Rühren zum Kochen bringen, 1 Minute kochen lassen und beiseite stellen. Am besten sollten Sie dafür eine Kasserolle verwenden; Sie können aber auch Ihre Rührpfanne nehmen. Wenn Sie die Sauce danach in eine große Schüssel gießen, sollten Sie sie mit einem Küchenspatel aus Kunststoff sorgfältig auskratzen, damit nichts verloren geht. Außerdem könnte in einer großen Pfanne eine Kochzeit von einer Minute zu lang sein, da die Flüssigkeit hier sehr viel schneller verdampft.

Die restlichen Frühlingszwiebeln diagonal aufschneiden. Die Reisstäbchen in die Pfanne legen und mit kochendem Wasser gerade bedecken. Das Wasser erneut zum Kochen bringen und 1–2 Minuten kochen lassen, bis die Stäbchen weich sind. Dann die Stäbchen herausnehmen, unter kaltem Wasser abspülen und abtropfen lassen.

Mit angefeuchteten Händen die Hühnermischung zu kleinen Bällchen formen – sie sollten etwas kleiner als Walnüsse sein, müssen aber keine perfekte Form besitzen. Wenn Sie Ihre Hände regelmäßig in kaltem Wasser anfeuchten, läßt sich die Masse leichter formen.

Das Öl erhitzen und die Hühnerbällchen bei mittlerer bis großer Hitze braten, bis sie gleichmäßig goldbraun sind. Dabei die Bällchen vorsichtig und regelmäßig umrühren, bis die Masse fester wird und sich kleine, runde Kugeln bilden. Danach das Ganze kräftiger durchrühren, damit die Bälle gleichmäßig bräunen und völlig gar werden. Mit einem Schaumlöffel die Hühnerbällchen aus der Pfanne heben, in die gekochte Sojasaucenmischung legen und darin wälzen, bis sie gleichmäßig mit Flüssigkeit bedeckt sind.

Die Möhren, Zuckererbsen und Frühlingszwiebeln zum verbliebenen Öl in die Pfanne geben und etwa 3 Minuten unter Rühren garen. Danach die Salatgurke hinzufügen und das Ganze etwa 2 Minuten unter Rühren garen, bis alle Gemüse kochend heiß sind. Anschließend die Reisstäbchen in die Pfanne schütten (falls sie zu einem Block zusammengeklebt sind, einfach unter kaltes Wasser halten – überschüssiges Wasser danach abschütteln) und etwa 1 Minute lang erhitzen. Zum Schluß die Hühnerbällchen in die Pfanne geben, das Ganze gut durchrühren und servieren.

Rosenkohl mit Salami

FÜR 4 PERSONEN

2 EL Tomatenmark
4 EL Rotwein
2 EL Öl
500 g Rosenkohl, halbiert
1 kleine Zwiebel, halbiert und in dünne Scheiben geschnitten
1 grüne Paprikaschote, entkernt und in dünne Scheiben geschnitten
2 Lorbeerblätter
Salz und frisch gemahlener schwarzer Pfeffer
100 g Salami, in feine Streifen geschnitten (am besten italienische Salami von guter Qualität verwenden)
2 x 425 g Borlotti-Bohnen aus der Dose, abgetropft

Das Tomatenmark mit dem Wein und 2–3 EL Wasser zu einer dickflüssigen Glasur verrühren, die zum Schluß über die Zutaten verteilt wird.

Das Öl erhitzen; Rosenkohl, Zwiebel, Paprika, Lorbeerblätter und Gewürze in die Pfanne geben und bei mittlerer Hitze 10 Minuten unter Rühren braten, bis der Rosenkohl leicht gar ist. Die Salami hinzugeben, die Hitze erhöhen und 2 Minuten unter Rühren braten; anschließend Borlotti-Bohnen und Tomatenpüree dazugeben. Weitere 2–3 Minuten garen, bis die Bohnen heiß sind und die Mischung von einer brodelnden Glasur überzogen ist. Das fertige Gericht abschmecken und servieren – als Beilage eignet sich luftiges, aromatisches italienisches Brot besonders gut.

ROSENKOHL MIT SALAMI

Kaninchen in Senfsauce

Dieses Rezept ergibt eine schmackhafte Mahlzeit für jeden Tag, aber aus Gesundheitsgründen sollte man den großzügigen Umgang mit Butter beim Rösten des Brotes auf einige Festtage beschränken.

FÜR 4 PERSONEN

- 1 kleines Baguette, in Scheiben geschnitten (s. Zubereitung)
- 4 EL Olivenöl
- 50 g Butter
- reichlich frische gehackte Petersilie
- 2 EL frische gehackte Minze (nach Wunsch)
- 500 g entbeintes Kaninchenfleisch, in kleine Würfel geschnitten
- 1 EL Weizenmehl
- 4 EL milder Senf mit ganzen Senfkörnern
- Salz und frisch gemahlener schwarzer Pfeffer
- 3 EL Öl
- 1 kg Kartoffeln, in große Würfel geschnitten
- 250 g eingelegte Zwiebeln
- 1 Möhre, fein gewürfelt
- 250 g Schälerbsen (blanchierte frische oder tiefgefrorene)
- 250 ml Hühnerfond

Die Baguettescheiben sollten knapp 2,5 cm dick sein; die Endstücke weglegen. Das Öl und die Butter erhitzen, schnell alle Brotscheiben in die Pfanne geben und unter Rühren knusprig und goldbraun backen. Dabei die Scheiben nicht im Öl oder der Butter liegen lassen, da sie sonst das Fett ungleichmäßig aufnehmen oder einige Scheiben trocken bleiben. Nun Petersilie und Minze (nach Wunsch) in die Pfanne streuen und die Kräuter mit dem Brot mischen. Danach das Brot herausnehmen und beiseite stellen.

Die Kaninchenwürfel in Mehl wälzen, dann Senf, Pfeffer und Salz einrühren, so daß alle Würfel gleichmäßig paniert sind. Das Öl erhitzen und die Kartoffeln unter Rühren 5 Minuten braten. Zwiebeln und Möhren dazugeben und das Ganze garen, bis die Kartoffeln gebräunt und die Zwiebeln leicht gegart sind. Das Kaninchenfleisch in die Pfanne geben und unter Rühren braten, bis alle Teile leicht gebräunt sind.

Die Erbsen darunterrühren und einige Minuten erhitzen (bis sie aufgetaut sind); anschließend den Hühnerfond in die Pfanne gießen. Das Ganze unter Rühren zum Kochen bringen, so daß der Senf der Fleischpanade die Flüssigkeit leicht andickt. Bei großer Hitze 2–3 Minuten köcheln lassen, dann würzen, abschmecken, auf einzelne Teller oder Schalen verteilen und servieren. Garnieren Sie das Gericht mit einzelnen Brotscheiben und reichen Sie das restliche Brot separat.

Gebratener Reis mit Eiern und Garnelen

Knackige Wasserkastanien ergeben einen interessanten Kontrast zur restlichen Konsistenz dieses schmackhaften Reisgerichts.

FÜR 4 PERSONEN

250 g Langkornreis, gekocht
3 EL Öl
1 TL Sesamöl
1 Bund Frühlingszwiebeln, diagonal fein geschnitten
200 g Wasserkastanien aus der Dose, abgetropft und in Scheiben geschnitten
100 g tiefgefrorene Erbsen
350 g Garnelen, geschält, Darm entfernt und gekocht
3 Eier, geschlagen
3 EL helle Sojasauce
ganze gekochte Garnelen, zum Garnieren

Der Reis sollte frisch gekocht sein. Alles Öl erhitzen; dann Zwiebeln, Wasserkastanien und Erbsen in die Pfanne geben und unter Rühren 3–5 Minuten garen, bis die Erbsen aufgetaut und heiß sind. Die Garnelen hinzugeben und eine Minute unter Rühren anbraten.

Nun die Hitze reduzieren, die Eier in die Pfanne schlagen und halb stocken lassen. Die Eimasse sollte cremig, aber noch nicht völlig gestockt sein. Wenn sie zu dünn ist, verbindet sie sich zu sehr mit den Reiskörnern, so daß der Reis klumpen würde. Falls die Eimasse völlig gestockt ist, bevor Sie den Reis hinzugeben, wird sie zu lange kochen und im fertigen Gericht leicht gummiartig wirken.

Den Reis in die Pfanne schütten und mit der Eimasse verrühren, bis alle Zutaten gleichmäßig vermischt sind. Die Eier sollten in dem Moment gar sein, in dem der Reis heiß ist. Mit Sojasauce beträufeln und sofort servieren. Nach Wunsch mit ganzen gekochten Garnelen garnieren.

REIS MIT SCHWEINEFLEISCH UND PAPRIKA

Reis mit Schweinefleisch und Paprika

FÜR 4 PERSONEN

3 EL Öl
1 große Zwiebel, in dünne Scheiben geschnitten
350 g mageres Schweinefleisch, in dünne Streifen geschnitten
1 rote Paprikaschote, entkernt, in dünne Scheiben geschnitten
1 grüne Paprikaschote, entkernt, in dünne Scheiben geschnitten
Salz und frisch gemahlener schwarzer Pfeffer
etwas gemahlener Muskat
geriebene Schale von 1 Orange
100 g Langkornreis, frisch gekocht
100 g Wildreis, frisch gekocht

Das Öl erhitzen und die Zwiebeln 2 Minuten unter Rühren anbraten. Nun das Fleisch dazugeben und alles unter Rühren braten, bis die Streifen leicht gebräunt und völlig gar sind; dabei die Hitze relativ hoch halten, damit sich die Poren der Fleischstreifen schließen. Anschließend Paprikaschoten, Pfeffer und Salz, Muskat und Orangenschale hineingeben, die Hitze leicht reduzieren und 3–5 Minuten unter Rühren garen, bis die Paprika weich sind.

Beide Reissorten unterrühren und das Ganze einige Minuten kochen, bis alle Zutaten gut vermischt sind. Falls der Reis abgekühlt ist, sollte er nun noch einmal gründlich erhitzt werden – das Gericht schmeckt am besten, wenn der Reis frisch gekocht wurde und noch kochend heiß in die Pfanne gelangt.

Fünf-Gewürz-Schweinefleisch mit Nudeln

FÜR 4 PERSONEN

450 g mageres Schweinefleisch, in dünne Scheiben geschnitten
1/2 TL Fünf-Gewürz-Pulver
Salz und frisch gemahlener schwarzer Pfeffer
2 Frühlingszwiebeln, feingehackt
1 Knoblauchzehe, zerdrückt
250 g chinesische Eiernudeln
4 EL Erdnußöl
250 g Bambussprossen, in Scheiben geschnitten
250 g Zuckererbsen, geputzt
3 EL Sojasauce
2 EL geröstete Sesamkörner

Schweinefleisch mit Fünf-Gewürz-Pulver, Pfeffer, Salz, Frühlingszwiebeln und Knoblauch vermischen, abdecken und mindestens eine Stunde (oder über Nacht) ziehen lassen.

Die Nudeln mit kochendem Wasser übergießen und gerade bedecken. Das Wasser erneut zum Kochen bringen und 2 Minuten kochen lassen, dann die Nudeln mit kaltem Wasser abschrecken und abtropfen lassen.

Das Öl erhitzen; das Schweinefleisch in die Pfanne geben und unter Rühren braten, bis es gut gebräunt ist. Nun Bambussprossen und Zuckererbsen hinzugeben und weitere 3–4 Minuten unter Rühren garen, bis das Gemüse gekocht ist. Diese Fleischmischung auf eine Seite der Pfanne schieben; dann die Nudeln hineingeben und 2 Minuten unter Rühren erhitzen. Anschließend die anderen Zutaten, Sojasauce und Sesamkörner dazugeben, 1 Minute garen lassen und servieren.

FÜNF-GEWÜRZ-SCHWEINEFLEISCH MIT NUDELN

Linsen mit Pilzen und Mandeln

Dieses köstliche, rein vegetarische Hauptgericht ist ein ideales Alltagsmenü und eine willkommene Abwechslung zu allen Hauptmahlzeiten mit Fleisch.

FÜR 4 PERSONEN

250 g grüne Linsen, gekocht
500 g Champignons, in Scheiben geschnitten
1 TL geriebene Muskatblüte
Salz und Pfeffer
4 EL Olivenöl
100 g blanchierte Mandeln, halbiert
ein kleines Stück Butter
250 g Austernpilze
4 EL kleingeschnittener Schnittlauch

Die Linsen sollten frisch gekocht, abgegossen und in einem abgedeckten Topf beiseite gestellt worden sein, so daß sie warm bleiben, während die Pilze zubereitet werden.

Pilze mit Muskatblüte und reichlich Pfeffer und Salz mischen. Das Öl erhitzen und die Pilze unter kräftigem Rühren anbraten, bis sie zu bräunen beginnen. Wenn die Flüssigkeit aus den Pilzen austritt, weiter rühren, bis alle Flüssigkeit verdunstet ist und die Pilze stark geschrumpft sind. Zu diesem Zeitpunkt besitzen sie ein intensives Aroma und eine dunkle Farbe; das verbliebene Öl sollte den größten Teil der Flüssigkeit in der Pfanne ausmachen.

Mit einem Schaumlöffel die Pilze aus der Pfanne heben und zu den Linsen geben. Den Topf abdecken und beiseite stellen. Die Mandeln im restlichen Öl in der Pfanne goldbraun rösten und ebenfalls zu den Linsen geben. Mit der Gabel Pilze und Mandeln unter die Linsen rühren; die fertige Mischung in eine Schüssel geben oder auf mehrere Schalen verteilen.

Die Butter in der Pfanne zerlassen und die Austernpilze auf relativ großer Flamme unter Rühren etwa 1 Minute anbraten. Die Pilze sollten leicht gegart sein; wenn man sie zu lange kochen läßt, fallen sie zusammen. Den Schnittlauch und ein wenig Pfeffer und Salz darunterrühren und die Pilzmischung über die Linsen geben; dabei sämtliche Flüssigkeit aus der Pfanne schaben. Sofort servieren.

Lamm mit Minze und Gemüse

FÜR 4 PERSONEN
500 g mageres Lammfleisch, fein gewürfelt
2 EL Weizenmehl
Salz und frisch gemahlener schwarzer Pfeffer
2 EL Öl
ein kleines Stück Butter
250 g Silberzwiebeln
1 kg kleine neue Kartoffeln, gekocht
250 g Zuckererbsen
250 ml trockener Weißwein
4 EL frische gehackte Minze
1 Kopf Endiviensalat, grob geschnitten, zum Servieren
Minzzweige, zum Garnieren

Das Lammfleisch in Mehl und Gewürzen wälzen. Öl und Butter erhitzen, die Zwiebeln in die Pfanne geben und unter Rühren 10 Minuten anbraten, bis sie leicht gebräunt sind. Das Fleisch hinzugeben und 8–10 Minuten unter Rühren braten, bis die Fleischwürfel gebräunt und die Zwiebeln gar sind.

Nun Kartoffeln und Zuckererbsen einrühren und etwa 5 Minuten garen, bis die Kartoffeln heiß und die Zuckererbsen leicht gegart sind. Den Wein angießen, das Ganze zum Kochen bringen und unter ständigem Rühren 2 Minuten aufkochen, so daß die Zutaten von einer leicht angedickten Glasur überzogen sind. Anschließend würzen und abschmecken.

Zum Schluß die Minze dazugeben, kurz durchrühren, und die Lammischung sofort auf ein Bett aus Endiviensalat geben (entweder in einer großen Schüssel oder auf einzelnen Tellern). Garnieren Sie das Gericht mit Minzzweigen.

LAMM MIT MINZE UND GEMÜSE

SESAM-KICHERERBSEN MIT HUHN

Sesam-Kichererbsen mit Huhn

Mit diesem Rezept verwandeln Sie nicht nur Reste von Hühnerfleisch in ein schmackhaftes Essen – Sie können es auch mit jeder anderen Fleischsorte zubereiten.

FÜR 4 PERSONEN
1 Kopfsalatherz, fein geschnitten
5 cm langes Stück Salatgurke, geschält und fein gewürfelt
1 Bund Radieschen, in Scheiben geschnitten
2 EL geröstete Sesamkörner
4 EL Öl
2 x 425 g Kichererbsen aus der Dose, abgetropft
450 g gekochtes Hühnerfleisch, fein gewürfelt
6 EL Tahini
4 EL kleingeschnittener Schnittlauch
2 EL frische gehackte Petersilie
Salz und frisch gemahlener schwarzer Pfeffer
2 Avocados, halbiert, entsteint, geschält und in große Stücke geschnitten
50 g schwarze Oliven, halbiert und entsteint
1 Zitrone, in Stücke geschnitten

Salat, Salatgurke, Radieschen und Sesamkerne miteinander vermischen und diesen Salat um den Rand einer großen Servierplatte oder vier einzelner Teller arrangieren.

Das Öl erhitzen; Kichererbsen und Hühnerfleisch etwa 5 Minuten unter Rühren garen, bis das Fleisch heiß ist. Dann die Tahini einrühren, bis sie sich mit dem Öl verbindet und die Zutaten mit einem cremigen Dressing umgibt. Anschließend Kräuter, Gewürze und Avocados dazugeben und die schwarzen Oliven daruntermischen.

Zum Schluß die Hühnermischung auf die einzelnen Teller verteilen und mit Zitronenstücken garnieren. Das Gericht vor dem Verzehr mit Zitronensaft beträufeln.

Schweinefleisch-Tacos

FÜR 4 PERSONEN
2 EL Öl
1 Zwiebel, gehackt
1 grüne Paprikaschote, entkernt und fein gewürfelt
2 Selleriestangen, in dünne Scheiben geschnitten
250 g Schweinegehacktes
Salz
1/4 TL Cayennepfeffer
450 g Kidneybohnen aus der Dose, abgetropft
425 g Tomaten aus der Dose, gehackt
Tabasco, zum Abschmecken
2 Avocados, halbiert, entsteint und fein gewürfelt
geriebene Schale und Saft von 1 Limone
8 Tacos
Kopfsalat, fein geschnitten, zum Servieren

Das Öl erhitzen; Zwiebeln, Paprika und Sellerie in die Pfanne geben und unter Rühren garen, bis die Zwiebeln glasig werden. Anschließend das Schweinefleisch dazugeben, mit Salz und Cayennepfeffer bestreuen und unter Rühren braten, bis es braun und gar ist.

Nun Kidneybohnen und Tomaten hinzufügen und weitere 5 Minuten unter Rühren garen. Das Ganze mit Tabasco abschmecken und die Pfanne von der Flamme nehmen.

Die Avocados in Limonenrinde und Saft wälzen. Ein wenig Fleischmischung in jedes Taco geben und mit Avocado krönen. Die fertigen Tacos auf einem Bett aus fein geschnittenem Kopfsalat arrangieren und sofort servieren.

Frühstücksspeck mit Auberginen und Walnüssen

FÜR 4 PERSONEN
2 große Auberginen, geputzt und grob gewürfelt
Salz und frisch gemahlener schwarzer Pfeffer
6 EL Olivenöl
3 Porreestangen, in dünne Scheiben geschnitten
250 g Frühstücksspeck, grob gehackt
100 g Walnüsse
250 g kleine Pilze, halbiert
reichlich frische gehackte Petersilie oder fein geschnittene Basilikumblätter

Die Auberginen in ein Sieb legen, mit Salz bestreuen und das Sieb über einer Schüssel 15 Minuten beiseite stellen. Die Auberginen danach gründlich abspülen und mit Küchenpapier trockentupfen.

Das Öl erhitzen und den Porree 5 Minuten unter Rühren garen. Die Auberginenstücke dazugeben und unter Rühren braten, bis ihre Außenseiten leicht gebräunt und ihr Inneres zart, aber nicht zu weich ist. Nun Speck und Walnüsse einrühren und braten, bis die Speckstücke gar und die Auberginen weich sind.

Anschließend Pilze und Gewürze hinzufügen und das Ganze weitere 3 Minuten unter Rühren garen, um die Pilze gründlich zu erhitzen. Abschmecken, mit Petersilie oder Basilikum bestreuen und servieren. Als Beilage reichen Sie Pittabrot oder Vollkornbrötchen.

Tofu Chow Mein

FÜR 4 PERSONEN
4 große chinesische Pilze, getrocknet
4 EL Sojasauce
2 EL trockener Sherry
1 Knoblauchzehe, zerdrückt
1/4 TL Fünf-Gewürz-Pulver
250 g Tofu, grob gewürfelt
2 TL Maisstärke
250 g chinesische Eiernudeln
3 EL Erdnußöl
1 kleine Möhre, in streichholzdicke Stifte geschnitten
1 gelbe Paprikaschote, in kurze, dünne Streifen geschnitten
6 Frühlingszwiebeln, diagonal in Scheiben geschnitten
200 g Wasserkastanien aus der Dose, abgetropft und in Scheiben geschnitten
250 g Bohnenkeimlinge

Die getrockneten Pilze in eine kleine Schüssel legen und mit heißem Wasser gerade bedecken. Eine Untertasse in die Schüssel legen, um die Pilze nach unten zu drücken und sie unter Wasser zu halten. 20 Minuten einweichen lassen.

Sojasauce, Sherry, Knoblauch und Fünf-Gewürz-Pulver verrühren; diese Mischung über den Tofu geben und beiseite stellen.

Die Pilze abtropfen lassen und das Einweichwasser beiseite stellen. Nun die zähen Stengel abdrehen und die Hüte in Scheiben schneiden. Die Maisstärke mit dem Einweichwasser zu einem Brei verrühren.

Die Nudeln in die Pfanne legen und mit kochendem Wasser gerade bedecken. Das Wasser erneut zum Kochen bringen, die Nudeln 2 Minuten kochen, abgießen und auf einer vorgewärmten Servierplatte ausbreiten. Mit Folie bedecken und warmhalten.

Das Öl erhitzen. Den Tofu über dem Maisstärkebrei gründlich abtropfen lassen, in die Pfanne geben und auf großer Flamme unter Rühren goldbraun backen. Dabei vorsichtig rühren – die Stücke können zerbrechen, bis der Tofu außen knusprig wird.

Möhren, Paprika, Pilze und Frühlingszwiebeln dazugeben und unter Rühren braten, bis das Gemüse leicht gegart ist. Anschließend die Wasserkastanien hinzufügen und 2 Minuten erhitzen.

Den Maisstärkebrei noch einmal gut durchrühren und in die Pfanne gießen. Das Ganze unter ständigem Rühren zum Kochen bringen und 1 Minute köcheln lassen. Dann die Bohnenkeimlinge hinzugeben und unter Rühren 1 Minute erhitzen. Die fertige Mischung über die Nudeln geben und das Gericht sofort servieren.

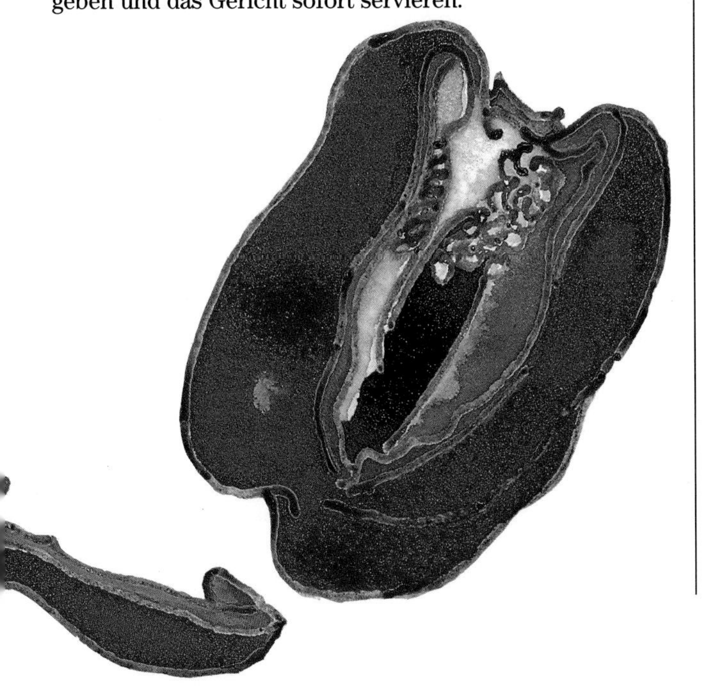

Curry-Schweinefleisch mit Bohnen

Die Qualität des Currypulvers bestimmt den Geschmack des fertigen Gerichts – kaufen Sie daher am besten eine bekannte Marke, oder mischen Sie sich Ihr eigenes Curry.

FÜR 4 PERSONEN
500 g mageres Schweinefleisch, fein gewürfelt
3 EL Öl oder Ghee (geklärte Butter)
1 große Zwiebel, in dünne Scheiben geschnitten
2 x 425 g Kidneybohnen aus der Dose, abgetropft
3 EL gehackte Korianderblätter

MARINADE
Salz und frisch gemahlener schwarzer Pfeffer
1 EL Currypulver
2,5 cm langes Stück frische Ingwerwurzel, fein gerieben
1 Zwiebel, gerieben
2 Knoblauchzehen, zerdrückt
1 EL Tomatenmark
Saft von 1 Zitrone
100 ml Naturjoghurt

Das Fleisch und alle Zutaten für die Marinade in eine Schüssel geben und gründlich vermischen. Die Schüssel abdecken und das Schweinefleisch über Nacht ziehen lassen.

Das Fleisch gut abtropfen und die Marinade beiseite stellen. Öl oder Ghee erhitzen und die Zwiebeln unter Rühren 15 Minuten anbräunen. Das Fleisch dazugeben und unter ständigem Rühren braten, bis alle Stücke gar sind. Nun die Kidneybohnen einrühren, die Marinade angießen und das Ganze unter ständigem Rühren 15 Minuten garen. Mit frischem Koriander bestreuen und sofort servieren.

CURRY-SCHWEINEFLEISCH MIT BOHNEN

Gemüse-Pfannkuchen

Wenn Sie keine Pfannkuchen zubereiten wollen, läßt sich das gebratene Gemüse auch in Pittabrot, als Beilage zu Folienkartoffeln oder in einem aufgeschnittenen Baguette servieren. Natürlich können Sie eine solche Gemüsemischung auch einfach zusammen mit einigen Scheiben Vollkornbrot auf den Tisch bringen, um den Hunger Ihrer Familie oder Gäste zu stillen!

FÜR 4 PERSONEN

- 2 Möhren, in streichholzdicke Stifte geschnitten
- 2 Porreestangen, in kurze, dünne Streifen geschnitten
- 1/2 Knollensellerie, in streichholzdicke Stifte geschnitten
- 1 rote oder gelbe Paprikaschote, entkernt und in kurze, dünne Streifen geschnitten
- 250 ml Apfelwein
- 100 g getrocknete Aprikosen, in Scheiben geschnitten
- 2 große Estragonzweige (Blätter verwenden)
- 1 Lorbeerblatt
- 2 EL Olivenöl
- 50 g Mandelsplitter
- 2 Zucchini, in kurze, dünne Streifen geschnitten
- 200 g Weichkäse mit Knoblauch und Kräutern

PFANNKUCHEN

- 100 g Vollkornmehl
- Salz und Pfeffer
- 2 Eier
- 300 ml Milch
- 1 EL Öl und etwas Öl zum Kochen

Möhren, Porree, Knollensellerie und Paprika zusammen mit Apfelwein, Aprikosen, Estragonblättern und Lorbeerblatt in eine Schüssel geben und durchrühren. Dann die Schüssel abdecken, beiseite stellen und ziehen lassen.

Die Pfannkuchen backen: Das Mehl in eine Schüssel geben und mit etwas Pfeffer und Salz mischen. Mit dem Löffel eine Vertiefung in die Mitte drücken und die Eier und etwas Milch hineingeben. Eier und Milch langsam unter das Mehl ziehen, bis sich ein glatter Teig ergibt; dabei immer etwas Milch nachgießen, wenn die Mischung zu dick wird. Den Teig glatt verrühren und vor der Verwendung 20 Minuten beiseite stellen. Unmittelbar vor dem Backen 1 EL Öl in den Teig einrühren und 8 große Pfannkuchen backen. Wenn der Teig beim Ruhen andickt, ein wenig Wasser hinzugeben.

Zwischen die fertigen Pfannkuchen je eine Lage Küchenpapier legen, damit sie nicht zusammenkleben können; den Stapel mit Folie abdecken und warmhalten.

Gemüse und Aprikosen abtropfen lassen und die Flüssigkeit beiseite stellen. Das Olivenöl erhitzen und die Mandeln unter Rühren leicht bräunen. Abgetropftes Gemüse und Aprikosen hinzugeben und unter Rühren garen, bis Porree und Sellerie gerade gar sind. Nun die Zucchini dazugeben und 3–5 Minuten garen; danach die Apfelweinmarinade in die Pfanne gießen und das Ganze abschmecken.

Die Flüssigkeit zum Kochen bringen, den Weichkäse einrühren und die Pfanne von der Flamme nehmen. Mit einem Schaumlöffel einige Gemüse auf einen Pfannkuchen heben; den Pfannkuchen erst der Länge nach, dann noch einmal zusammenklappen – so daß ein Viertel entsteht – und auf eine Servierplatte oder einen Teller legen. Den Pfannkuchen mit den restlichen Gemüsen garnieren; dabei etwas Gemüse in die Öffnung löffeln. Die Sauce um die Pfannkuchen gießen und sofort servieren.

Brotzeit mit Speck

Eine ungewöhnliche, interessante und köstliche Mahlzeit.

FÜR 4 PERSONEN
½ Endiviensalat, geputzt und in Streifen geschnitten
1 kleine rote Zwiebel, in dünne Scheiben geschnitten und in Ringe zerlegt
4 Tomaten, geschält, entkernt und in dünne Stücke geschnitten
6 EL Olivenöl
1 Knoblauchzehe, zerdrückt
1 kleines Baguette (oder ein anderes Brot mit Kruste), in große Stücke geschnitten
250 g Frühstücksspeck, grob gehackt
250 g Champignons
Salz und frisch gemahlener schwarzer Pfeffer
reichlich frische gehackte Petersilie
1 Zitrone, in Stücke geschnitten

Endivie, Zwiebel und Tomaten zu einem Salat vermischen und auf einzelne Teller oder eine Servierplatte verteilen.

Öl und Knoblauch erhitzen und die Brotstücke unter Rühren rösten, bis sie leicht gebräunt sind. Den Speck in die Pfanne geben und das Ganze unter Rühren braten, bis das Brot gebräunt und knusprig ist; der Speck sollte gar sein. Pilze, Gewürze und Petersilie dazugeben und 2 Minuten unter Rühren braten, bis die Pilze leicht gegart sind. Brot und Speckmischung auf die einzelnen Salatteller verteilen und mit Zitronenstücken servieren.

Weizen-Auberginen

Dieses warme Gericht wurde von dem klassischen Weizensalat Tabbouleh inspiriert.

FÜR 4 PERSONEN
2 große Auberginen, in Würfel geschnitten
Salz und frisch gemahlener schwarzer Pfeffer
250 g Bulgur
etwa 6 TL Olivenöl
1 Knoblauchzehe
1 TL getrockneter Majoran
4 EL Pinienkerne
4 EL Rosinen
1 Bund Frühlingszwiebeln, gehackt
4 EL frisch gehackte Minze
1 Zitrone, in Stücke geschnitten
Minzzweige, zum Garnieren

Die Auberginen in ein Sieb legen, mit Salz bestreuen und über einer Schüssel 20 Minuten abtropfen lassen. Den Bulgur in eine Schüssel legen und mit kaltem Wasser gerade bedecken. Beiseite stellen und 15 Minuten einweichen lassen.

Die Auberginen gründlich abspülen und abtropfen lassen. Etwas Olivenöl erhitzen und den Knoblauch hinzugeben. Dann die Auberginen unter Rühren braten – dabei weiteres Olivenöl hinzugeben -, bis sie leicht gebräunt und zart sind. Majoran, Pinienkerne und Rosinen dazugeben und die Mischung unter ständigem Rühren etwa 1 Minute garen.

Den Bulgur abtropfen lassen, in die Pfanne geben und mit den Auberginen einige Minuten unter Rühren garen, bis er vollständig erhitzt ist. Danach Frühlingszwiebeln und Minze darunterrühren und das Gericht servieren. Mit Minzzweigen garnieren und Zitronenstücke dazu reichen, deren Saft über die Auberginenmischung geträufelt werden kann.

Safran-Garnelen mit Nan

FÜR 4 PERSONEN
2 TL Safranfäden
1 Knoblauchzehe, zerdrückt
5 cm langes Stück Ingwerwurzel, feingehackt
6 grüne Kardamomkapseln, leicht zerdrückt
2 Lorbeerblätter
1 Zimtstange, zerbrochen
4 EL Koriandersamen, leicht zerdrückt
1 EL Kreuzkümmelsamen
Salz und frisch gemahlener schwarzer Pfeffer
500 g Garnelen, geschält, Darm entfernt und gekocht
4 Nan-Brote (indische Brote)
50 g Butter
1 große Zwiebel, feingehackt
100 g tiefgefrorene Erbsen
4 EL frischer gehackter Koriander
1 Zitrone, in Stücke geschnitten
Korianderzweige, zum Garnieren

Die Safranfäden zu einem Pulver zerdrücken und mit 2 EL kochendem Wasser verrühren. Mit Knoblauch, Ingwer, Kardamom, Lorbeer, Zimt, Koriander, Kreuzkümmel, Pfeffer und Salz vermischen. Diese Mischung über die Garnelen geben, wobei auch der letzte Tropfen Safran aus der Schüssel geschabt werden sollte. Gewürzmischung und Garnelen verrühren, die Schüssel abdecken und 1 Stunde ziehen lassen – oder länger, wenn es die Zeit erlaubt.

Die Nan-Brote im Backofen bei mittlerer Oberhitze aufbacken. Die Butter zerlassen und die Zwiebeln unter Rühren 5 Minuten anbraten. Garnelen und Erbsen hinzugeben und weitere 5–7 Minuten unter Rühren braten, bis Gewürze und Erbsen gar sind. Das Ganze abschmecken; anschließend die Garnelenmischung auf je eine Seite der vier Nan-Brote häufen. Die fertigen Brote werden mit Koriander bestreut und mit Zitronenstücken garniert, deren Saft über die Garnelen geträufelt werden kann.

SAFRAN-GARNELEN, HIER MIT PITTABROT SERVIERT

Couscous mit Schinken und Kohl

Ein ungewöhnliche, aber sehr schmackhafte Art, Couscous zu servieren.

FÜR 4 PERSONEN
250 g Couscous
3 EL Olivenöl
1 große Zwiebel, halbiert und in dünne Scheiben geschnitten
500 g Kürbisfleisch, in kleine Würfel geschnitten
2 Thymianzweige
½ kleiner Grünkohl, fein geschnitten
350 g Kochschinken, in feine Streifen geschnitten
4 große Tomaten, geschält und in Achtel geschnitten
Salz und frisch gemahlener schwarzer Pfeffer
50 g Butter, zerlassen
reichlich frische gehackte Petersilie

Das Couscous in eine hitzebeständige Schüssel geben. Mit kochendem Wasser übergießen, bis das Couscous von etwa 2,5 cm Wasser bedeckt ist. Die Schüssel abdecken und 15 Minuten beiseite stellen, bis das Getreide gequollen und servierfertig ist.

Das Öl erhitzen; Zwiebeln, Kürbis und Thymian unter Rühren 6–8 Minuten braten, bis der Kürbis leicht angegart ist.

Den Kohl dazugeben und unter Rühren gerade gar werden lassen; dann Schinken und Tomaten hinzufügen und braten, bis beide Zutaten erhitzt sind. Abschmecken und eventuell nachwürzen.

Die zerlassene Butter über das Couscous gießen und das Getreide mit der Gabel lockern. Anschließend das Couscous in eine große Schüssel geben oder auf mehrere Teller verteilen und die Kohlmischung darüber häufen. Mit Petersilie bestreuen und sofort servieren.

GERÜHRTE SPEZIALITÄTEN

Das Kochen im Wok kann zu raffinierten Resultaten führen – als Beweis dafür bietet dieses Kapitel eine ganze Reihe von Ideen, die jedem förmlichen Abendessen zur Ehre gereichen würden.

Wenn Sie ein festliches Essen planen, sollten Sie bei einem in letzter Minute gekochten Hauptgericht die Zutaten bereits einige Zeit im voraus vorbereiten. Dafür eignen sich z.B. Gemüsegratins, Reis oder Nudeln, die Sie vorkochen und vor Beginn des eigentlichen Essens in den Ofen schieben und aufwärmen können. Auf diese Weise bleibt Ihnen genug Zeit, sich ganz auf das Pfannenrühren zu konzentrieren – denn Sie müssen weder Gemüse abgießen oder dämpfen noch mit anspruchsvollen Beilagen kämpfen. Wenn Sie Nudeln als Beilage kochen, können Sie frische Nudeln verwenden, die in wenigen Minuten gar sind oder getrocknete Nudeln kaufen, diese vorkochen und auf einer Servierplatte warmhalten. Nehmen Sie Ihre Nudeln einfach etwas zu früh aus dem Kochwasser, wälzen Sie sie in Öl oder Butter und Gewürzen und stellen Sie sie abgedeckt in einen warmen Ofen – auf diese Weise können Ihre Nudeln in Ruhe nachgaren, bis die Vorspeisen verzehrt sind.

Denken Sie daran, daß ein fertiges Gericht auch optisch besonders anspruchsvoll sein sollte. Bereiten sie daher Ihre Garnierungen rechtzeitig vor und halten Sie sie frisch, abgedeckt und gewärmt oder – je nach Garnierung – auch gekühlt. Wenn Sie schließlich das Geschirr des ersten Gangs abräumen, sollten Sie Ihren Gästen sagen, daß Sie nun in kurzer Zeit eine großartige Mahlzeit zubereiten und informieren Sie sie, daß dies ein paar Minuten dauern könnte.

Lachs Indienne

Statt Lachsfilet können Sie auch Lachssteaks verwenden – schneiden Sie einfach den Knochen heraus und das Fleisch in große Stücke. Eine etwas preiswertere Alternative sind Schwanzstücke. Als Beilage zu diesem Gericht empfiehlt sich wilder Reis, vermischt mit frischem gehacktem Koriander – Konsistenz und Aroma passen ganz ausgezeichnet zum Lachs.

FÜR 4 PERSONEN
1 kg Lachsfilet
10 grüne Kardamomkapseln
1 EL gemahlener Koriander
geriebene Schale und Saft von 1 Limone
1 Knoblauchzehe, zerdrückt
2,5 cm langes Stück frische Ingwerwurzel, geschält und gehackt
1 grüne Chilischote, geschält und gehackt
2 Frühlingszwiebeln, gehackt
Salz und frisch gemahlener schwarzer Pfeffer
2 Lorbeerblätter
2 EL Öl
500 g reife Tomaten, geschält, entkernt und grob gehackt (siehe S. 17)
Limonenschnitze, zum Garnieren

Dem Lachs die Haut abziehen und alle Gräten entfernen, in große Stücke schneiden und in eine Schüssel geben. Die Kardamomkapseln aufschneiden; die kleinen, schwarzen Samenkörner in einen Mörser geben und zu Pulver zerstampfen. Anschließend mit Koriander, Limonenschale und -saft, Knoblauch, Ingwer, Chilischote, Frühlingszwiebeln und reichlich Pfeffer und Salz vermischen. Die Würzmischung über die Lachsstücke geben und vorsichtig durchrühren; die Stücke sollten in der Mischung gewälzt, aber nicht zerbrochen sein. Dann die Lorbeerblätter zwischen die Stücke stecken, das Ganze abdecken und 2 Stunden oder länger ziehen lassen (je nach zur Verfügung stehender Zeit).

Das Öl erhitzen; Lachsstücke mitsamt Marinade in die Pfanne geben und unter vorsichtigem Rühren (die Stücke dürfen nicht zerbrechen) braten, bis der Lachs völlig gar ist. Anschließend die Tomaten einrühren und 1 Minute erhitzen.

Den Fisch auf eine Servierplatte legen, die Lorbeerblätter als Garnierung herausziehen und einige Limonenstücke daneben legen, deren Saft vor dem Verzehr über den Fisch geträufelt werden kann.

LACHS INDIENNE

THUNFISCH MIT BRUNNENKRESSE

Thunfisch mit Brunnenkresse

Statt Thunfisch können Sie auch Schwertfisch nach diesem Rezept zubereiten. Servieren Sie dieses Gericht in kleinen Nestern aus gekochter *paglia e fieno pasta* (dünne grüne und weiße Nudeln – Sie finden sie in der Feinkostabteilung Ihres Supermarkts), garniert mit kleinen Brunnenkressezweigen und halbierten Orangenscheiben.

FÜR 4 PERSONEN
4 Orangen
500 g Thunfischsteak, grob gewürfelt
6 EL Olivenöl
6 EL trockener Weißwein
4 EL kleingeschnittener Schnittlauch
Salz und frisch gemahlener schwarzer Pfeffer
1 gelbe Paprikaschote, entkernt und in feine Streifen geschnitten
4 gelbe Zucchini, in dünne Scheiben geschnitten
2 Bund Brunnenkresse, geputzt

Die abgeriebene Schale und den Saft einer Orange über den Thunfisch gießen. 5 EL Olivenöl, Wein, Gewürznelken und Gewürze dazugeben und den Fisch mit der Gewürzmischung verrühren. Das Ganze abdecken und vor der Zubereitung 4–6 Stunden ziehen lassen.

Die restlichen Orangen schälen und über eine Schüssel halten, zwischen den Membranen einschneiden und alle Fruchtsegmente herausnehmen. Den Saft auffangen und über den Fisch gießen.

Den Thunfisch abtropfen lassen und die Marinade beiseite stellen. Nun den Fisch im restlichen Olivenöl unter Rühren braten, bis er leicht gebräunt ist; danach die Stücke mit einem Schaumlöffel aus der Pfanne heben und beiseite stellen. Paprika und Zucchini in die Pfanne geben und 1 Minute unter Rühren garen; danach die Marinade angießen und zum Kochen bringen. 1 Minute aufkochen lassen, den Thunfisch und die Brunnenkresse dazugeben. Weitere 30–60 Sekunden kochen lassen und von der Flamme nehmen. Die Orangenstücke darunterziehen und sofort servieren.

Gebratene Riesengarnelen

Rohe Riesengarnelen sind tiefgefroren in guten Fischgeschäften und Asienläden erhältlich. Da diese Garnelenart relativ teuer ist, habe ich die Portionen klein gehalten. Aber mit den richtigen Beilagen erhalten Sie dennoch eine vollwertige Hauptmahlzeit – reichen Sie einfach ein Chow Mein mit einigen aufgeschnittenen Jakobsmuscheln dazu.

FÜR 4 PERSONEN

24 rohe Riesengarnelen, geschält bis auf die Schwänze und Darm entfernt
Maisstärke zum Panieren
5 cm langes Stück frische Ingwerwurzel, geschält und gerieben, dann in kleine Stücke gehackt
1 Knoblauchzehe, zerdrückt
1 grüne Chilischote, entkernt und feingehackt (nach Wunsch)
2 TL Zucker
2 TL Weißweinessig
1/2 TL Tomatenmark
1 EL helle Sojasauce
1 EL trockener Sherry
eine Prise Fünf-Gewürz-Pulver
1 TL Sesamöl
6 EL Erdnußöl

GEMÜSEBEILAGE

6 Frühlingszwiebeln, in sehr feine Streifen geschnitten
1/2 rote Paprikaschote, entkernt und in kurze, sehr feine Streifen geschnitten
1/4 Salatgurke, geschält und in kurze, feine Streifen geschnitten
Zitronenschnitze, zum Servieren

Die Riesengarnelen am Rücken aufschlitzen und mit einem kleinen, spitzen Messer den dunklen Darm entfernen. Danach die Schale weiter aufschneiden, bis die Garnele fast in zwei Hälften zerlegt ist, und das Fleisch herausdrücken. Die Schalen entfernen. Anschließend die Garnelen großzügig in Maisstärke wälzen.

Ingwer, Knoblauch, Chilischote, Zucker, Essig, Tomatenmark, Sojasauce, Sherry, Fünf-Gewürz-Pulver und Sesamöl in einer Schüssel vermischen. Die Garnelen hineinlegen und mit der Würzmischung vermengen, bis sie vollständig von der Paste überzogen sind.

Das Erdnußöl erhitzen, bis es glänzend heiß ist; dann die Garnelen dazugeben und auf großer Flamme unter Rühren goldbraun und knusprig anbraten – dies kann einige Minuten dauern. Anschließend mit einem Schaumlöffel die Garnelen aus der Pfanne heben und auf eine Servierplatte legen.

Alles Gemüse für die Beilage in die Pfanne geben und im verbliebenen Öl 2 Minuten unter Rühren garen. Danach die Gemüsemischung auf die Servierplatte zu den Garnelen legen. Das Ganze mit Zitronenstücken garnieren und sofort servieren.

Schwertfisch mit Safran

Mit diesem Rezept läßt sich jede Weißfischart zubereiten – Heilbutt, Seeteufel oder Kabeljau. Als Beilage eignen sich neue Kartoffeln und Spinat oder ein Salat.

FÜR 4 PERSONEN

700 g Schwertfischsteak, in große Stücke geschnitten
4 EL Sonnenblumenöl und zusätzliches Öl zum Kochen
2 EL Zitronensaft
250 ml trockener Weißwein
1 Lorbeerblatt
1 Thymianzweig
Salz und frisch gemahlener schwarzer Pfeffer
1 TL Safranfäden
4 EL Weizenmehl
2 Porreestangen, in dünne Scheiben geschnitten
2 Möhren, in streichholzdicke Stifte geschnitten
2 Selleriestangen, in dünne Scheiben geschnitten
250 ml Kaffeesahne (10% Fettgehalt)

Den Fisch in eine Schüssel legen. In einem Einmachglas mit fest schließendem Deckel die Hälfte des Öls mit Zitronensaft, Wein, Lorbeerblatt, Thymian und Gewürzen vermischen: Dazu das Glas verschließen und die Mischung schütteln, bis sich die Zutaten gut vermischt haben. Diese Würzmischung über den Fisch gießen, das Ganze abdecken und mehrere Stunden ziehen lassen.

Die Safranfäden zu Pulver zermahlen. 2 EL kochendes Wasser darübergießen und solange rühren, bis sich der Safran völlig aufgelöst hat; danach beiseite stellen.

Den Fisch abtropfen lassen, die Marinade beiseite stellen und die Fischstücke mit Küchenpapier trockentupfen. Anschließend die Stücke in Mehl und etwas Pfeffer und Salz wälzen. Das restliche Öl erhitzen und den Fisch unter Rühren goldbraun anbraten. Danach die Fischstücke mit einem Schaumlöffel in eine Servierschüssel oder auf einzelne Teller legen und warmhalten. Etwas mehr Öl in die Pfanne geben und Porree, Möhren und Sellerie bei großer Hitze 2–3 Minuten unter Rühren braten, bis sie leicht gegart sind.

Das Gemüse neben den Fischstücken arrangieren; dann die Marinade in die Pfanne gießen und zum Kochen bringen. Die Sauce durch Kochen um die Hälfte reduzieren, dann die Temperatur niedriger stellen und die Sahne einrühren. Die Safranflüssigkeit dazugeben; anschließend die Sauce – wegen der Sahne – nur sanft erhitzen, nicht kochen lassen. Zum Schluß die Sauce über oder um die Fischstücke gießen und sofort servieren.

Jakobsmuscheln mit Zucchini

Ein großartiges Mittagessen – servieren Sie die Meeresfrüchte auf dünnen Nudeln, Wildreis oder Salat.

FÜR 4 PERSONEN

2 EL Olivenöl
2 EL Zwiebeln, feingehackt
16 Jakobsmuscheln, in Scheiben geschnitten
6 kleine Zucchini, in dünne Scheiben geschnitten
Salz und Pfeffer
4 Estragonzweige (Blätter verwenden)
4 EL Kaffeesahne (10% Fettgehalt)

Das Öl erhitzen und die Zwiebeln bei mittlerer Hitze unter Rühren glasig werden lassen. Die Jakobsmuscheln dazugeben und 2 Minuten unter Rühren garen. Danach Zucchini, Gewürze und Estragonblätter hinzugeben und weitere 2 Minuten garen. Jakobsmuscheln dürfen nicht zu lange kochen – sie würden dadurch sehr zäh werden.

Die Kaffeesahne angießen, erhitzen und sofort servieren.

DER KÜCHENCHEF EMPFIEHLT

Zu Jakobsmuscheln mit Zucchini schmecken frische Croûtons besonders gut. Dazu kleine Dreiecke aus Brot in einer Mischung aus Olivenöl und Butter goldbraun rösten. Die Croûtons auf Küchenpapier abtropfen lassen und rund um die Muschelmischung auf dem Teller arrangieren.

SCHWERTFISCH MIT SAFRAN

ENTE MIT PFLAUMEN IN PORTWEIN

Ente mit Pflaumen in Portwein

Dieses gehaltvolle Pfannengericht serviert man am besten mit Reis oder Nudeln.

FÜR 4 PERSONEN
3 Entenbrüste, gehäutet und in feine Scheiben geschnitten
100 ml Portwein
geriebene Schale und Saft von 1 Orange
1 Lorbeerblatt
1 Petersilienstengel
1 Thymianzweig
1 Rosmarinzweig
3 EL Weizenmehl
Salz und frisch gemahlener schwarzer Pfeffer
2 EL Öl
ein kleines Stück Butter
250 g Pflaumen, halbiert, entsteint und geviertelt

GARNIERUNG (NACH WUNSCH)
Orangenscheiben
frische Kräuter

Die Entenbrüste in eine Schüssel legen. Portwein, Orangenschale und -saft sowie alle Kräuter dazugeben; das Ganze gut mischen, abdecken und über Nacht ziehen lassen.

Die Ente gründlich abtropfen lassen und die Marinade beiseite stellen. Alle Kräuter herausnehmen; das Entenfleisch mit Küchenpapier trockentupfen und anschließend in einer Mischung aus Mehl und Gewürzen panieren.

Öl und Butter mit den Kräutern erhitzen. Die Ente hinzugeben und unter Rühren braten, bis die Stücke leicht gebräunt sind. Das restliche Mehl in die Pfanne streuen, die Marinade angießen und die Pflaumen hinzufügen. Das Ganze unter ständigem Rühren erhitzen, bis die Flüssigkeit kocht und eindickt. Dann die Hitze reduzieren, 2 Minuten garen lassen, abschmecken und servieren. Als Garnierung dienen halbierte Orangenscheiben und frische Kräuter.

Flambiertes Huhn mit Pfirsichen

Die getrockneten Pfirsiche verleihen diesem Gericht ein wunderbar volles, fruchtiges Aroma. Als Beilage eignen sich Reis, Nudeln oder gekochte neue Kartoffeln. Für eine etwas leichtere Mahlzeit sollten Sie das flambierte Huhn jedoch auf einem knackigen gemischten Salat servieren, zusammen mit warmem, frischem Brot.

FÜR 4 PERSONEN
100 g getrocknete Pfirsiche
1 EL Öl
ein kleines Stück Butter
2 Rosmarinzweige
ein Streifen Zitronenschale
4 Hühnerbrüste, grob gewürfelt
Salz und frisch gemahlener schwarzer Pfeffer
4 EL Brandy

GARNIERUNG
1 frischer Pfirsich, entsteint und in Scheiben geschnitten
Rosmarinzweige

Die Pfirsiche in eine kleine Schüssel legen und mit kaltem Wasser gerade bedecken. Die Schüssel abdecken und über Nacht einweichen lassen.

Die Pfirsiche abtropfen – die Flüssigkeit beiseite stellen – und in kleine Stücke schneiden. Öl und Butter erhitzen, dann Rosmarin und Zitronenschale in die Pfanne geben. Diese aromatischen Substanzen etwa 30 Sekunden unter Rühren erhitzen und danach das Hühnerfleisch dazugeben – auf diese Weise erhält das kochende Fett ein angenehmes Aroma. Das Ganze mit Pfeffer und Salz bestreuen und das Huhn unter Rühren völlig gar werden lassen.

Nun die Pfirsichstücke mitsamt Flüssigkeit einrühren, zum Kochen bringen und auf mittlerer bis großer Flamme unter Rühren garen, bis ein Großteil der Flüssigkeit verdampft und das Hühnerfilet glasiert und saftig ist. Anschließend das Huhn in eine Servierschüssel legen; dabei die Zitronenschale und die Rosmarinzweige entfernen.

Nun den Brandy in die Pfanne gießen – sie wird auch ohne zusätzliche Hitze noch warm genug sein, um den Brandy zu erhitzen. Den Brandy in der Pfanne schwenken, dann über die Hühnerbrüste gießen und entzünden. Das flambierte Hühnerfleisch auftragen und servieren, sobald die Flammen erloschen sind.

DER KÜCHENCHEF EMPFIEHLT

Pfirsichstücke verfärben sich nicht, wenn Sie sie einmal kurz in Zitronensaft tunken und danach abgedeckt beiseite stellen, bis sie verwendet werden.

Glasiertes Lamm

Das Lammfilet ist ein Stück Fleisch, das vom Lammrücken oder Sattel geschnitten wird. Wenn man es – wie hier – in kleine Kreise schneidet, spricht der Fachmann von Medaillons. Ein Kranz aus Kartoffelpürree oder kleinen neuen Kartöffelchen paßt hervorragend zu der wohlschmeckenden, honigartigen Glasur, die das gebratene Lammfleisch und die Pflaumen überzieht.

FÜR 4 PERSONEN

- 1 kg Lammfilet, in kleine Kreise geschnitten
- 4 Rosmarinzweige
- 2 EL klarer Honig
- 250 ml Apfelwein
- 3 EL Weizenmehl
- Salz und frisch gemahlener schwarzer Pfeffer
- 2 EL Erdnußöl
- 1 kleine Zwiebel, feingehackt
- 250 g rote Pflaumen, halbiert und entsteint
- Rosmarinzweige, zum Garnieren

Das Lammfleisch in eine Schüssel legen. Rosmarin, Honig und Apfelwein hinzugeben, das Ganze gut vermischen, abdecken und mehrere Stunden oder über Nacht ziehen lassen.

Das Fleisch gründlich abtropfen lassen und die Marinade beiseite stellen. Anschließend das Mehl und reichlich Pfeffer und Salz über die Lammstücke streuen.

Das Öl erhitzen und die Zwiebeln 3–4 Minuten unter Rühren anbraten. Das Lammfleisch dazugeben und unter Rühren braten, bis alle Stücke gleichmäßig braun sind. Die Marinade angießen und die Pflaumen hinzugeben. Das Ganze etwa 2 Minuten lang kochen lassen, so daß die Marinade reduziert und die Pflaumen gar werden; dabei gleichmäßig rühren, damit das Fleisch nicht anbrennt. Wenn Fleisch und Pflaumen von der Sauce glasiert sind, in eine Servierschüssel geben, mit Rosmarinzweigen garnieren und servieren.

Lamm mit Minze und Linsen

FÜR 4 PERSONEN
250 g grüne Linsen
500 g mageres Lammfilet, fein gewürfelt
1 Knoblauchzehe (nach Wunsch)
2 EL frische gehackte Minze
Salz und frisch gemahlener schwarzer Pfeffer
2 EL Olivenöl
1 Zwiebel, gehackt
250 g Pilze, in Scheiben geschnitten
ein Spritzer Worcestersauce
500 g Tomaten, geschält und grob gehackt
250 ml griechischer Joghurt
Minzzweige, zum Garnieren (nach Wunsch)

Die Linsen in reichlich kochendem Wasser etwa 35 Minuten garkochen; sie dürfen weich, aber nicht breiig sein. Anschließend gut abtropfen lassen und beiseite stellen.

Das Lamm mit Knoblauch (nach Wunsch), Minze und reichlich Pfeffer und Salz gründlich mischen. Das Öl erhitzen und die Zwiebeln unter Rühren 5 Minuten anbraten. Anschließend das Lamm dazugeben und unter ständigem Rühren braten, bis das Fleisch gar und gut gebräunt ist. Nun Pilze und Worcestersauce darunterrühren und weitere 5 Minuten garen.

Die Linsen in die Lammischung geben; danach die Tomaten einrühren. Das Ganze unter Rühren weitere 3–5 Minuten garen, bis die Linsen und Tomaten völlig erhitzt sind. Das Gericht anschließend abschmecken, auf einzelne Teller verteilen und jede Portion mit einem Klacks Joghurt krönen. Nach Wunsch mit Minzzweigen garnieren und den übrigen Joghurt separat servieren.

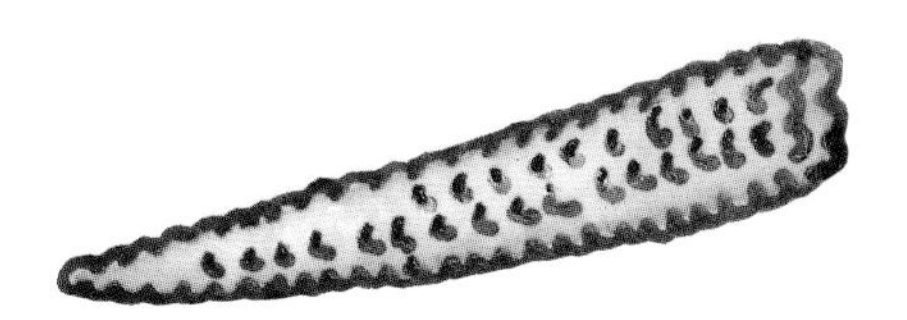

Asiatisches Ingwer-Lamm

Ein kleines, ganz gewöhnliches China-Restaurant in unserer Gegend führt verschiedene Spezialitäten auf seiner Speisekarte – darunter auch das hier vorgestellte Rezept. Es ist einfach zuzubereiten, ungeheuer aromatisch und ein Fest für jeden Ingwerfreund! Für dieses Gericht benötigen Sie saftige junge Ingwerknollen mit dünner Haut – versuchen Sie es in den Asienläden Ihrer Gegend. Denken Sie daran, Ihre nichtsahnenden Gäste vorzuwarnen, daß sich ganze Ingwerscheiben zwischen den Fleischstückchen verstecken – junger, zarter Ingwer ist zwar für viele Menschen sehr wohlschmeckend, es gibt aber auch Leute, die den Geschmack nicht ertragen können.

FÜR 4 PERSONEN
500 g mageres Lammfleisch, in kleine, dünne Scheiben geschnitten
5 cm langes Stück junge, frische Ingwerwurzel, geschält und in sehr dünne Scheiben geschnitten
4 EL Sojasauce
4 EL trockener Sherry
1 TL Zucker
1 EL Zitronensaft
1 EL Maisstärke
250 ml Lamm- oder Hühnerfond
3 EL Öl
1 TL Sesamöl
1 Knoblauchzehe
1 Bund Frühlingszwiebeln, in 2,5 cm lange Stücke geschnitten

Das Lamm in eine Schüssel legen und mit dem Ingwer vermischen. In einer anderen Schüssel Sojasauce, Sherry, Zucker und Zitronensaft mischen und diese Mischung über das Lamm gießen. Das Ganze abdecken und mehrere Stunden ziehen lassen.

Die Maisstärke mit ein wenig Fond zu einem glatten Brei verrühren, dann den übrigen Fond einrühren. Öl und Sesamöl erhitzen, Knoblauch dazugeben und mit einem Schaumlöffel Lamm und Ingwer in die Pfanne legen. Die Fleischstücke unter Rühren braten, bis sie gleichmäßig braun sind; dann die Frühlingszwiebeln hinzufügen und weitere 2 Minuten unter Rühren garen.

Nun die Marinade und den Fond angießen, das Ganze zum Kochen bringen und unter ständigem Rühren 5 Minuten köcheln lassen. Vor dem Servieren nach Wunsch abschmecken – eventuell mit etwas zusätzlicher Sojasauce.

ASIATISCHES INGWER-LAMM

RINDFLEISCH IN AUSTERNSAUCE

Rindfleisch in Austernsauce

Wenn Sie dieses Gericht als Teil eines chinesischen Menüs servieren, genügt die Hälfte der angegebenen Zutaten; ansonsten reichen Sie es zusammen mit gekochtem Reis oder Chow Mein.

FÜR 4 PERSONEN

500 g Steakfleisch zum Braten, in kleine, dünne Scheiben geschnitten
3 EL Austernsauce
2 EL Sojasauce
1 Knoblauchzehe, zerdrückt
4 EL trockener Sherry
4 große chinesische Pilze, getrocknet
4 EL Öl
1 grüne Paprikaschote, entkernt und in große Stücke geschnitten
1 rote Paprikaschote, entkernt und in große Stücke geschnitten
1 Zwiebel, in große Stücke geschnitten

Das Fleisch in eine Schüssel legen. In einer anderen Schüssel Austernsauce, Sojasauce, Knoblauch und Sherry verrühren; diese Mischung über das Fleisch gießen und gut durchrühren. Die Schüssel abdecken und 2–4 Stunden ziehen lassen. Die Pilze in eine kleine Schüssel legen und mit heißem Wasser gerade bedecken. Eine Untertasse auf die Pilze legen, um sie immer unter Wasser zu halten, und das Ganze 20 Minuten einweichen lassen. Anschließend die Pilze abtropfen, die Pilzflüssigkeit beiseite stellen, die zähen Stengel entfernen und die Pilzhüte in Scheiben schneiden.

Das Öl erhitzen; Paprikaschoten und Zwiebel 3 Minuten unter Rühren anbraten. Mit einem Schaumlöffel das Fleisch in die Pfanne legen und unter Rühren braten, bis es gar und leicht gebräunt ist. Die Pilze dazugeben.

Die Pilzflüssigkeit in die Marinade aus Austernsauce gießen und gut verrühren. Diese Mischung in die Pfanne gießen, unter Rühren zum Kochen bringen und einige Minuten kochen lassen, bis das Fleisch von einer leicht eingedickten Sauce überzogen ist. Sofort servieren.

Bœuf Stroganoff

Dieses klassische Rezept für kurz gebratenes Rindfleisch mit saurer Sahne erhielt seinen Namen vom russischen Fürsten Stroganoff. Die Kälte Nordsibiriens sorgte dafür, daß die gräflichen Fleischvorräte nahezu tiefgefroren blieben, so daß man sie nur in hauchdünne Scheiben schneiden konnte. Mit gekochtem Reis und einem frischen und knackigen gemischten grünen Salat wird dieses Essen zu einem wahren Fest.

FÜR 4 PERSONEN

1 kg Steakfleisch von guter Qualität (zumindest Rumpsteak oder Rose – Rinderfilet für Extravagante)
Salz und frisch gemahlener schwarzer Pfeffer
½ TL Paprikapulver
2 EL Olivenöl
ein großes Stück Butter
1 Zwiebel, halbiert und in dünne Scheiben geschnitten
250 g Pilze, in dünne Scheiben geschnitten
4 EL Brandy
300 ml saure Sahne
reichlich frische gehackte Petersilie

Das Fleisch in die Tiefkühltruhe legen, bis es eiskalt und sehr fest ist. Dann mit einem scharfen Messer das Fleisch gegen die Faserung in möglichst dünne Scheiben, danach quer in Streifen schneiden. Die Fleischstreifen würzen und mit Paprikapulver bestreuen.

Öl und Butter erhitzen und die Zwiebeln unter Rühren 5 Minuten anbraten. Die Pilze dazugeben und 3 Minuten unter Rühren braten. Dabei sollten die Pilzscheiben nicht auseinanderbrechen. Anschließend Zwiebeln und Pilze auf eine Seite der Pfanne schieben und das Fleisch auf großer Flamme braten, bis alle Streifen gleichmäßig braun sind.

Den Brandy darüberträufeln und das Fleisch mit Zwiebeln und Pilzen vermengen. Die Sahne angießen und kurz erhitzen, ohne sie zum Kochen zu bringen. Das Ganze schnell mit reichlich Petersilie bestreuen und sofort servieren.

BŒUF STROGANOFF

Mariniertes Wildbret mit Rotkohl

Zu diesem Wildgericht schmecken kleine Folienkartoffeln oder gekochter Buchweizen (siehe S. 32), vermischt mit reichlich frischer gehackter Petersilie.

FÜR 4 PERSONEN
500 g Wildbret (zum Braten geeignet), ohne Fett, in Streifen geschnitten
250 ml Rotwein
1 Muskatblüte
1 Lorbeerblatt
6 Wacholderbeeren, zerdrückt
Salz und frisch gemahlener schwarzer Pfeffer
3 EL Weizenmehl
4 EL Olivenöl
1 große Zwiebel, halbiert und in dünne Scheiben geschnitten
450 g Rotkohl, fein geschnitten
3 EL brauner Zucker
2 EL Apfelessig

Das Wildbret in eine Schüssel legen. Wein, Muskatblüte, Lorbeer, Wacholderbeeren und reichlich Pfeffer und Salz dazugeben, gut umrühren, abdecken und 24 Stunden ziehen lassen.

Das Fleisch abtropfen lassen und die Marinade beiseite stellen. Die Fleischstücke mit Küchenpapier trockentupfen und anschließend in Mehl wälzen.

Die Hälfte des Öls erhitzen und die Zwiebeln unter Rühren 5 Minuten anbraten. Das Wildbret hinzugeben und etwa 10 Minuten unter Rühren braten, bis alle Streifen gut gebräunt sind. Dann mit einem Schaumlöffel das Fleisch aus der Pfanne heben.

Das übrige Öl und den Kohl hinzugeben und 5–7 Minuten unter Rühren braten, bis der Kohl leicht gegart ist. Zucker, Essig und ein wenig Pfeffer und Salz darübergeben und das Ganze weitere 2 Minuten garen lassen. Nun das Fleisch wieder in die Pfanne legen und mit dem Kohl verrühren; anschließend die Marinade angießen. Das Ganze zum Kochen bringen und 5 Minuten köcheln lassen. Vor dem Servieren die Muskatblüte entfernen.

STEAK MIT SARDELLEN UND OLIVEN

Steak mit Sardellen und Oliven

Als Beilage zu diesem italienisch anmutenden Rindfleischgericht empfehle ich Nudeln oder ein klassisches, sahniges Risotto.

FÜR 4 PERSONEN
675 g Steakfleisch zum Braten, in Streifen geschnitten
1 Knoblauchzehe, zerdrückt
2 EL Tomatenmark
250 ml Rotwein
Salz und frisch gemahlener schwarzer Pfeffer
4 EL Weizenmehl
4 EL Olivenöl
1 Zwiebel, halbiert und in dünne Streifen geschnitten
1 grüne Paprikaschote, halbiert, entkernt und in dünne Streifen geschnitten
50 g Sardellenfilets, abgetropft und gehackt
100 g schwarze Oliven, entsteint und in Scheiben geschnitten
2 EL gehackte Petersilie
eine Handvoll Basilikumblätter, grob geschnitten

Das Steakfleisch in eine Schüssel legen. In einer anderen Schüssel Knoblauch, Tomatenmark, Rotwein und Gewürze verrühren und diese Mischung über das Steakfleisch gießen. Das Ganze gut durchrühren, abdecken und das Fleisch über Nacht in der Marinade ziehen lassen.

Die Fleischstreifen abtropfen lassen und die Marinade beiseite stellen. Die Streifen mit Küchenpapier trockentupfen und anschließend in Mehl wälzen.

3 EL Olivenöl erhitzen; Zwiebel und Paprika 5 Minuten unter Rühren anbraten. Das Steakfleisch hinzugeben und auf relativ großer Flamme unter Rühren anbraten, bis die Streifen gleichmäßig gebräunt sind. Die Marinade angießen und zum Kochen bringen. Das Ganze unter ständigem Rühren 5 Minuten köcheln lassen, dann abschmecken und in eine Servierschüssel geben.

Die Pfanne auswischen und das restliche Öl erhitzen. Sardellen, Oliven und Petersilie hineingeben und etwa 30 Sekunden in heißem Öl wälzen. Das Basilikum einrühren; diese Mischung anschließend über das Steakfleisch geben und sofort servieren.

SARDELLEN ENTSALZEN

Sardellenfilets verlieren ihren stark salzigen Geschmack, wenn Sie sie abtropfen lassen, 5 Minuten in ein wenig Milch legen und danach wieder abtropfen lassen.

Schweinefleisch mit Pernod

Wenn Sie keinen Pernod im Haus haben, können Sie auch griechischen Ouzo oder türkischen Raki verwenden. Mit Reis oder Couscous läßt sich dieses schlichte, aber schmackhafte Gericht wunderbar abrunden.

FÜR 4 PERSONEN

700 g mageres Schweinefleisch, fein gewürfelt
2 Salbeizweige
2 Thymianzweige
100 ml Pernod oder anderer Anisschnaps
Salz und frisch gemahlener schwarzer Pfeffer
2 EL Olivenöl
1 Porreestange, in dünne Scheiben geschnitten
2 kleine Möhren, fein gewürfelt
250 g Champignons, in Scheiben geschnitten
250 ml saure Sahne
8 große Blätter Eisbergsalat
Estragonzweige, zum Garnieren (nach Wunsch)

Das Schweinefleisch mit Salbei- und Thymian in eine Schüssel geben und mit Pernod (oder anderem Anisschnaps) übergießen; salzen und pfeffern, umrühren und etwa 2 Stunden abgedeckt ziehen lassen.

Das Öl erhitzen und Porree und Möhren etwa 5 Minuten unter Rühren anbraten. Nun das Schweinefleisch zusammen mit den Zweigen mit Hilfe eines Schaumlöffels in die Pfanne geben. Die Marinade beiseite stellen. Das Schweinefleisch unter Rühren braten, bis es leicht gebräunt ist, dann die Pilze hinzufügen und weitere 2–3 Minuten garen. Anschließend die Marinade dazugeben.

Die Flüssigkeit zum Kochen bringen, die Flamme verkleinern und die Sahne unterrühren. Das Ganze 1 Minute erhitzen, aber die Sahne dabei nicht zum Kochen bringen. Nach Geschmack würzen.

Nun die Salatblätter auf einer Servierplatte verteilen und die Schweinefleischmischung mit einem Löffel auf die Blätter verteilen. Nach Wunsch mit Estragonzweigen garnieren und sofort servieren.

Puternester

Für die Zubereitung der Nudelnester, in denen dieses Gericht serviert wird, benötigen Sie zwei unterschiedlich große Haarsiebe aus Metall oder einen speziellen Fritierkorb. Wenn Sie sich jedoch nicht soviel Mühe machen möchten, können Sie das Gericht auch in Folienkartoffeln, knusprigen Teigtaschen – wie bei den Brokkoli-Puter-Törtchen (siehe rechts) – oder in Pfannkuchen servieren.

FÜR 4 PERSONEN
200 g chinesische Eiernudeln (siehe »Der Küchenchef empfiehlt«)
Öl zum Fritieren
100 g Sahnequark
2 EL frische gehackte Petersilie
1 TL frischer gehackter Thymian
1 TL geriebene Zitronenschale
2 EL Olivenöl
450 g Puterbrust, fein geschnitten
1 rote Paprikaschote, entkernt und fein geschnitten
Salz und frisch gemahlener schwarzer Pfeffer
100 g feine grüne Bohnen, in kochendem Wasser 1 Minute blanchiert
100 g magerer Kochschinken, fein geschnitten

Die Nudeln in kochendes Wasser geben und das Wasser wieder zum Kochen bringen; anschließend abgießen, die Nudeln abschrecken und gut abtropfen lassen.

Die beiden Haarsiebe sorgfältig einfetten. Das größere Haarsieb sollte einen Durchmesser von maximal 10 cm aufweisen und etwa 2,5 cm größer sein als das kleinere Sieb. Das Öl zum Fritieren erhitzen. Dann das größere Sieb mit einer Schicht Nudeln auslegen und das kleinere Sieb in das größere pressen, damit die Nudeln nicht verrutschen. Die Nudeln goldbraun fritieren, dann aus dem Sieb nehmen und auf Küchenpapier abtropfen lassen. Auf diese Weise acht Nudelnester anfertigen. Die Nester können zuvor zubereitet und vor dem Servieren im sehr heißen Backofen noch einmal aufgewärmt werden, damit sie schön knusprig sind.

Sahnequark, Petersilie, Thymian und Zitronenschale miteinander verrühren, zu acht kleinen Kugeln formen und kühl stellen.

Das Öl erhitzen; Puterfleisch und Paprikaschoten unter Rühren anbraten, mit Pfeffer und Salz würzen und weiter garen, bis das Fleisch leicht gebräunt und die Paprika weich ist. Nun die Bohnen hinzufügen und weitere 3 Minuten braten, bis sie vollständig erhitzt sind. Zum Schluß den Kochschinken dazugeben und etwa 1 Minute garen.

Die Fleisch-Gemüse-Mischung auf die Nudelnester verteilen und mit einer Kugel würzigem Sahnequark garnieren. Sofort servieren.

DER KÜCHENCHEF EMPFIEHLT

Etwa 100 g Nudeln ergeben 5 Nester; wenn Sie jedoch 225 g Nudeln nehmen, erhalten Sie ungefähr 10 Nester und haben noch etwas Spielraum, falls das ein oder andere Nest zerbricht.

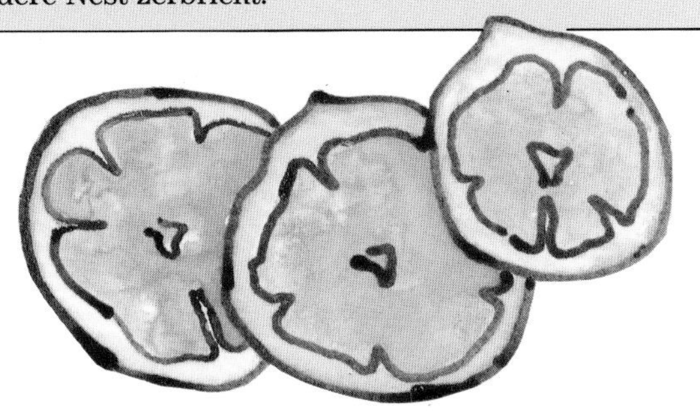

Brokkoli-Puter-Törtchen

Die Törtchen können zuvor zubereitet und dann vor dem Servieren vorsichtig aufgewärmt werden.

FÜR 4 PERSONEN
200 g Weizenmehl
150 g Butter
4 EL Preiselbeersauce
2 EL Sonnenblumenöl
250 g Puterbrust, in feine Streifen geschnitten
Salz und frisch gemahlener schwarzer Pfeffer
100 g Brokkoliröschen, in kleine Stücke zerbrochen
50 g Walnüsse, gehackt
2 Frühlingszwiebeln, gehackt
4 EL Crème double
etwas frische gehackte Petersilie

Den Backofen auf 200 °C vorheizen. Das Mehl in eine Schüssel geben, die Butter darunterkneten und nur so viel Wasser hinzufügen, daß sich die Zutaten zu einem Teig verbinden. Den Teig ausrollen und vier kleine Springformen damit auslegen. Die Teigböden mehrfach mit einer Gabel einstechen und die Formen 30 Minuten kühl stellen.

Nun die Springformen mit Wachspapier auslegen, einige getrocknete Erbsen oder Bohnen daraufgeben und die Törtchen 20 Minuten blindbacken. Anschließend Hülsenfrüchte und Papier entfernen und weitere 5–10 Minuten backen, bis die Törtchen goldbraun sind.

Dann jedes Törtchen mit etwas Preiselbeersauce bestreichen. Das Öl erhitzen und das Puterfleisch zusammen mit den Gewürzen unter Rühren anbraten, bis es leicht gebräunt ist. Brokkoli, Walnüsse und Frühlingszwiebeln hinzufügen und weitere 3–5 Minuten garen, bis der Brokkoli schön leuchtet und noch knackig ist.

Die Törtchen mit der Putermischung füllen, etwas Crème double darübergeben und mit Petersilie bestreuen.

Kalbfleisch mit Wermut

Zu diesem schlichten Kalbfleischgericht passen eine Schüssel Butternudeln und ein gemischter Salat.

FÜR 4 PERSONEN
4 Kalbsschnitzel, dünn ausgeklopft und in Streifen geschnitten
3 EL Weizenmehl
Salz und frisch gemahlener schwarzer Pfeffer
2 EL Öl
ein kleines Stück Butter
100 g Frühstücksspeck, fein gewürfelt
1 kleine Zwiebel, in dünne Scheiben geschnitten
250 ml trockener weißer Wermut
425 g Artischockenherzen aus der Dose, abgetropft
4 EL Crème double
100 g blaue Trauben, halbiert und entkernt (wenn nötig)

GARNIERUNG (NACH WUNSCH)
Weintrauben
frische Kräuter

Das Kalbfleisch in Mehl und Gewürzen wälzen. Butter und Öl erhitzen, dann den Frühstücksspeck und die Frühlingszwiebeln 5 Minuten unter Rühren anbraten. Das Kalbfleisch hinzufügen und so lange braten, bis das Fleisch leicht gebräunt ist.

Nun den Wermut dazugeben und unter ständigem Rühren zum Kochen bringen. Die Artischockenherzen hinzufügen und das Ganze 3 Minuten köcheln lassen. Anschließend die Crème double und die Trauben unterrühren und die Kalbfleischmischung in eine Servierschüssel oder auf vier Teller geben. Nach Wunsch mit Trauben und frischen Kräutern garnieren.

BEILAGEN

Im Wok zubereitete Beilagen können altbekannten Hauptgerichten ganz neuen Pfiff verleihen und sie mit zusätzlicher Farbe, Struktur und einem frischen, ungewöhnlichen Aroma versehen. Die folgenden Rezepte eignen sich darüber hinaus auch für Grillabende oder für ein Buffet. Bereiten Sie die Speisen aber erst im letzten Moment zu, um einfache oder kalte Hauptgerichte damit abzurunden.

In diesem Kapitel finden Sie nicht nur sättigende Reis-, Getreide- und Bohnenbeilagen, sondern auch leichte Gemüsegarnituren. Sie können sogar das ein oder andere Gemüse als Beilage zu frisch gekochten Nudeln servieren und damit eine schlichte, aber interessante Abendmahlzeit kreieren.

Die in den Rezepten aufgeführten Informationen ermöglichen Ihnen auch das Zusammenstellen von neuen Beilagen – kombinieren Sie einfach ein oder zwei Gemüse mit einigen Kräutern und Gewürzen. Am besten schmecken die hier vorgestellten Rezepte, wenn das Aroma der frischen Zutaten den Geschmack des Gerichts beherrscht.

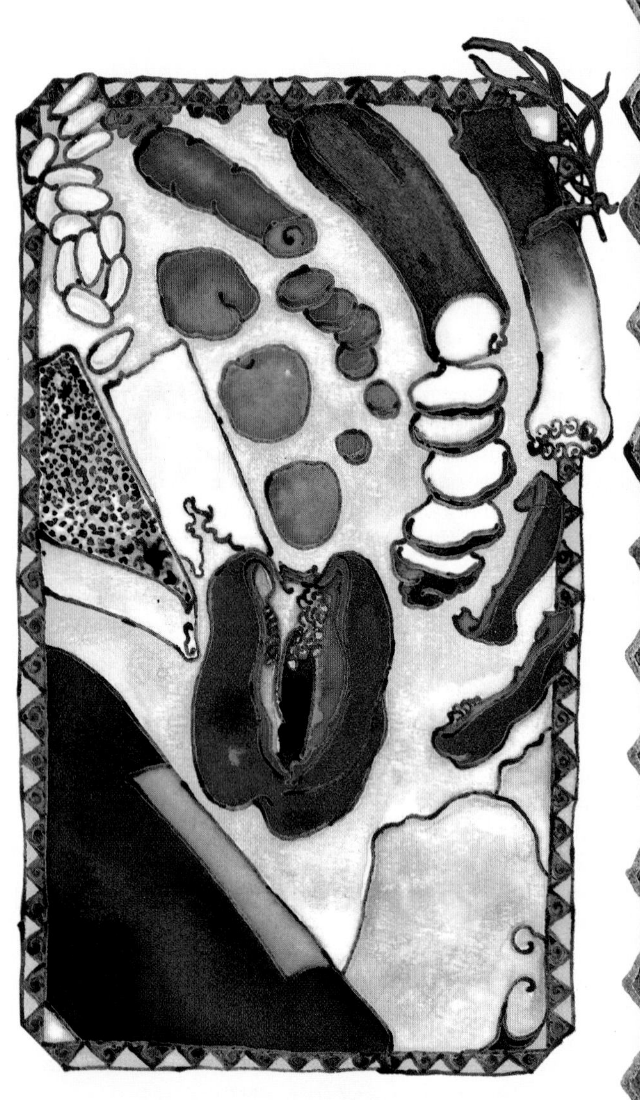

Sommergemüse

Diese erfrischende Mischung aus gelben Gemüsesorten verwandelt ein einfaches Nudelgericht in eine vollständige Mahlzeit und ergibt mit gegrilltem Fisch, Geflügel oder Fleisch ein köstliches Hauptgericht.

FÜR 4 PERSONEN
200 g junge Maiskölbchen
3 EL Olivenöl
1 gelbe Paprikaschote, entkernt und in dünne Scheiben geschnitten
1 kleine Zwiebel, halbiert und in dünne Scheiben geschnitten
4 gelbe Zucchini, in dünne Scheiben geschnitten
6 gelbe Tomaten, halbiert, entkernt und in dünne Scheiben geschnitten
Salz und frisch gemahlener schwarzer Pfeffer
eine Handvoll Basilikumblätter
1 EL geriebene Zitronenschale
3 EL frische gehackte Petersilie
1 kleine Knoblauchzehe, feingehackt (nach Wunsch)

Die Maiskölbchen mit Wasser bedecken und zum Kochen bringen; 2 Minuten kochen lassen, dann abschütten und beiseite stellen.

Das Öl erhitzen; Paprikaschoten und Zwiebeln unter Rühren 5–8 Minuten garen, bis sie weich werden. Die Maiskölbchen hinzugeben und weitere 5 Minuten anbraten, bis die Maiskolben und die Zwiebeln gar sind, aber noch Biß haben.

Zucchini und Tomaten miteinander mischen und etwa 3 Minuten unter Rühren braten – das Gemüse sollte nur ausreichend heiß und die harte Schale der Zucchinis etwas weicher werden. Mit Gewürzen und Basilikumblättern abschmecken und gut verrühren. Dann das Gemüse in eine Servierschüssel geben oder auf verschiedene Beilagen-Teller verteilen. Die Zitronenschale mit Petersilie und Knoblauch (nach Wunsch) mischen, über das Gemüse streuen und sofort servieren.

Winter-Beilage

Diese Mischung aus schmackhaftem Wurzelgemüse paßt hervorragend zu einfachen Gerichten, wie etwa verlorenen Eiern oder Spiegeleiern, gebratenem Frühstücksspeck oder gegrilltem Fleisch.

FÜR 4 PERSONEN
2 große Kartoffeln, grob geraspelt
2 große Möhren, grob geraspelt
1 Pastinake, grob geraspelt
2 EL Weizenmehl
Salz und Pfeffer
4 EL Öl
1 große Zwiebel, gehackt
250g Weißkohl, fein geschnitten

Die Kartoffeln unter fließendem, kalten Wasser abspülen; dann abtropfen lassen und möglichst viel überschüssige Flüssigkeit herausdrücken, damit die Kartoffelstückchen nicht aneinanderkleben. Kartoffeln mit Möhren und Pastinake vermischen, das Mehl und reichlich Gewürze darüberstreuen und das Ganze mit Hilfe einer Gabel sorgfältig unterrühren.

Das Öl erhitzen und die Zwiebeln 3 Minuten anbraten; das geraspelte Gemüse dazugeben und etwa 15 Minuten unter Rühren braten, bis es leicht gebräunt ist. Während des Garens das Gemüse mehrmals wenden; dabei sollten Sie es von der Mitte des Woks zu den Seiten bewegen und umgekehrt, damit die Gemüsestückchen gleichmäßig bräunen, aber nicht zusammenkleben. Wenn das Gemüse nur kreisförmig gerührt wird, bräunt es lediglich von der Unterseite und klumpt sehr schnell zu dicken Brocken zusammen.

Den Kohl hinzufügen und das Ganze weitere 5–7 Minuten unter Rühren braten, bis der Kohl gar wird oder die anderen Gemüse gebräunt sind. Sofort servieren.

WINTER-BEILAGE

Reis mit Spinat

FÜR 4 PERSONEN
150 g Langkornreis, gekocht
3 EL Öl
1/2 kleine Zwiebel, gehackt
2 EL Kreuzkümmelsamen
1 TL Gelbwurz
ein kleines Stück Butter (nach Wunsch)
250 g frischer Spinat, gekocht, abgetropft und fein geschnitten

Der Reis sollte frisch gekocht werden (gegebenfalls abtropfen lassen). Falls Sie den Reis in einer gerade ausreichenden Menge kochendem Wasser quellen lassen, sollten Sie ihn nach dem Garen nicht mit einer Gabel auseinanderbrechen, sondern vom Herd nehmen und im geschlossenen Topf beiseite stellen.

Das Öl erhitzen; Zwiebeln und Kreuzkümmelsamen 5 Minuten unter Rühren anbraten; danach Gelbwurz hinzufügen und weitere 2 Minuten garen. Dann die Butter (nach Wunsch) dazugeben und zerlassen, den Reis unterrühren und 2 Minuten garen, bis er sich gut mit den Gewürzen vermischt hat.

Dann mit einer Schöpfkelle eine Vertiefung in den Reis drücken oder ihn an den Rand der Pfanne schieben und den Spinat hinzugeben. Den Spinat unter Rühren nur kurz, aber vollständig erhitzen, mit einer Gabel mit dem Reis verrühren und sofort servieren.

Salatgurke mit Schinken

Ein weiteres schnelles Gericht, das gut als Beilage oder zusammen mit Reis, Nudeln oder einer Folienkartoffel als leichter Hauptgang serviert werden kann und köstlich zu pochiertem oder gegrilltem Hühner- oder Puterfleisch schmeckt.

FÜR 4 PERSONEN
1 Salatgurke, geschält, der Länge nach halbiert und in Scheiben geschnitten (etwa 450 g)
Salz und frisch gemahlener schwarzer Pfeffer
250 g magerer Kochschinken, in kleine Würfel geschnitten
3 Frühlingszwiebeln, gehackt
2 TL Paprikapulver
2 EL Öl
1 Knoblauchzehe, zerdrückt (nach Wunsch)

Die etwa 3 mm dicken Gurkenscheiben in ein Sieb oder Haarsieb legen, mit etwas Salz bestreuen und etwa 15 Minuten über einer Schüssel abtropfen lassen. Anschließend die Scheiben mit Küchenpapier trockentupfen.

Den Kochschinken mit den Frühlingszwiebeln in eine Schüssel geben, dann Paprikapulver und etwas frisch gemahlenen, schwarzen Pfeffer darüberstreuen und alles gut vermischen, damit der Schinken gleichmäßig gewürzt wird.

Das Öl erhitzen, dann den Knoblauch (nach Wunsch) unter Rühren anbraten und den Kochschinken etwa 5 Minuten braten, bis er von außen leicht gebräunt ist und die Würzpanade fest an ihm haftet. Nun die Salatscheiben hinzugeben und weitere 5 Minuten braten, bis das Gemüse gar wird. Sofort servieren.

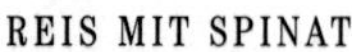

REIS MIT SPINAT

PIKANTER PORREE

Pikanter Porree

Ich mag diese Kombination aus Orangen, Porree und Gewürzen – insbesondere zu gegrillter Makrele, Ente, Würstchen, Schinken oder Schweinefleisch. Falls die Orange aber nicht zu Ihrem Hauptgericht paßt, können Sie sie auch weglassen oder statt dessen die geriebene Schale einer halben Zitrone verwenden.

FÜR 4 PERSONEN
4 EL Öl
2 EL Koriandersamen, zerdrückt
geriebene Schale und Saft von 1 Orange
1/4 TL gemahlenes Piment
450 g Porree, in dünne Scheiben geschnitten und in einzelne Ringe zerteilt
Salz und frisch gemahlener schwarzer Pfeffer

Das Öl erhitzen, dann den zerdrückten Koriandersamen zusammen mit der Orangenschale und Piment auf kleiner Flamme 2–3 Minuten unter Rühren anbraten, bis die Orangenschale leuchtet und die Mischung köstlich duftet.

Den Porree dazugeben und bei mittlerer Hitze etwa 8 Minuten unter Rühren braten, bis die Ringe gar werden. Nun den Orangensaft hinzufügen und das Ganze auf großer Flamme etwa 2 Minuten kochen lassen; dabei die Porreeringe immer wieder wenden, damit sie eine gleichmäßige Würzpanade erhalten. Abschmecken (eventuell noch nachwürzen) und sofort servieren.

Knollensellerie mit Erbsen

Knollensellerie ist ein rübenähnliches Gemüse mit dicker, heller, schrumpliger Schale und einem milden Selleriearoma. Da sich der Knollensellerie sowohl roh als auch gekocht zum Verzehr eignet, ist er eine ideale Zutat für das Pfannenrühren im Wok.

FÜR 6 PERSONEN
1 kleiner bis mittlerer Knollensellerie, geschält und in kurze, dünne Streifen geschnitten
Saft von einer 1/2 Zitrone
2 EL Olivenöl
1 kleine Porreestange, in kurze Streifen geschnitten
200 g geschälte Erbsen, tiefgefroren oder kurz blanchiert
etwas frisch geriebener Muskat
Salz und frisch gemahlener schwarzer Pfeffer

Die Selleriestreifen in kleine Stücke schneiden und zusammen mit dem Zitronensaft in eine Schüssel mit kaltem Wasser legen, damit sich der Sellerie nicht verfärbt.

Das Öl erhitzen und den Porree etwa 3 Minuten unter Rühren anbraten. Den Sellerie abtropfen lassen (das restliche Wasser sorgfältig abschütteln) und zum Porree geben. Das Ganze unter kräftigem Rühren 5 Minuten garen, dann die Erbsen hinzufügen und weitere 5 Minuten anbraten. Die Erbsen sollten gerade gar und der Sellerie noch bißfest sein. Vor dem Servieren mit Muskat, Salz und Pfeffer abschmecken.

REIS UND BOHNEN

Reis und Bohnen

FÜR 4–6 PERSONEN
2 EL Öl
1 große Zwiebel, gehackt
2 Stangensellerie, in dünne Scheiben geschnitten
1 Knoblauchzehe, zerdrückt
2 EL Sonnenblumenkerne
2 EL Sesamkörner
2 x 425 g Kidneybohnen aus der Dose, abgetropft
2 TL getrockneter Majoran
Salz und frisch gemahlener schwarzer Pfeffer
150 g Langkornreis, Natur- oder weißer Reis, frisch gekocht
4 EL frische gehackte Petersilie

Das Öl erhitzen und Zwiebeln, Sellerie und Knoblauch 10–15 Minuten unter Rühren anbraten, bis die Zwiebeln glasig werden. Die Sonnenblumenkerne und Sesamkörner hinzufügen und weitere 2 Minuten garen. Anschließend Kidneybohnen, Majoran und Gewürze dazugeben und weitere 2–3 Minuten sorgfältig erhitzen.

Den Reis hineinstreuen und einige Minuten unter Rühren braten, damit er sich mit den anderen Zutaten und Aromen verbindet. Nun die Petersilie mit einer Gabel unterrühren und sofort servieren.

DER KÜCHENCHEF EMPFIEHLT

Auf diese Weise können Sie auch übriggebliebenen Reis vom Vortag verwerten. Denken Sie aber daran, daß der Reis in diesem Fall länger im Wok gebraten werden muß, damit er vollständig erhitzt ist.

Pikante grüne Bohnen

Wenn Sie tiefgefrorene Bohnen verwenden, müssen Sie sie vor dem Braten nicht mehr blanchieren. Falls Sie keinen frischen Dill bekommen können, sollten Sie keinen getrockneten Dill, sondern statt dessen lieber frische Petersilie nehmen.

FÜR 4 PERSONEN
500 g feine Brechbohnen, geputzt
1 EL Olivenöl
1 EL Sonnenblumenöl
½ kleine Zwiebel, feingehackt
1 eingelegte Gurke, fein gewürfelt
1 EL Kapern, gehackt
Salz und frisch gemahlener schwarzer Pfeffer
2 Eier, hartgekocht und gehackt
2 EL frischer gehackter Dill

Die Bohnen in kochendes Wasser schütten, das Wasser wieder zum Kochen bringen und abgießen (Bohnen in einem Sieb abtropfen lassen). Das Öl erhitzen, dann die Zwiebel und die Gurke etwa 3 Minuten unter Rühren braten, bis die Zwiebelstücke glasig werden.

Nun Bohnen, Kapern und Gewürze hinzufügen und weitere 3 Minuten braten, bis die Bohnen gar sind, aber noch Biß haben. Das Ganze in eine Servierschüssel oder auf verschiedene Teller geben und mit Ei und Dill bestreuen. Sofort servieren.

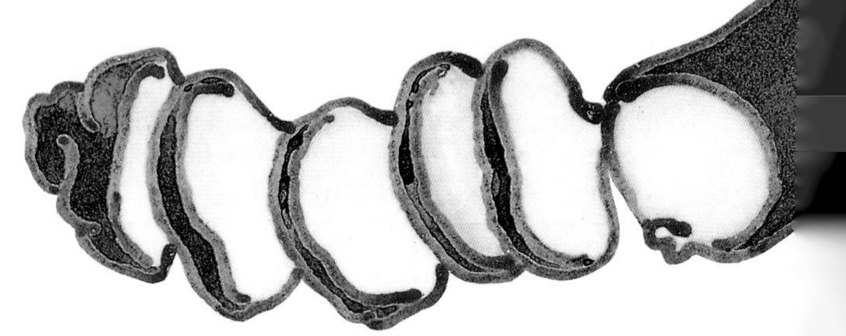

Spinat mit Äpfeln und Walnüssen

FÜR 4 PERSONEN
450 g frischer Spinat
3 EL Olivenöl
½ kleine Zwiebel, feingehackt
2 aromatische Äpfel, geschält, ohne Kerngehäuse und gewürfelt
100 g Walnüsse, gehackt
ein kleines Stück Butter (nach Wunsch)
Salz und frisch gemahlener schwarzer Pfeffer

Den Spinat waschen, tropfnaß in eine große Pfanne geben und auf großer Flamme (mit geschlossenem Deckel) etwa 3 Minuten garen, bis der Spinat zusammengesackt und zarter geworden ist. Die Pfanne während des Garens mehrmals kräftig schütteln. Anschließend den Spinat abtropfen lassen und möglichst viel überschüssige Flüssigkeit herausdrücken.

Das Öl erhitzen und Zwiebeln und Äpfel unter Rühren anbraten, bis die Zwiebeln glasig werden. Die Walnüsse hinzufügen und weitere 5 Minuten rösten, damit ihr Aroma voll zur Geltung kommt. Nun die Butter dazugeben und vollständig erhitzen lassen, bevor der Spinat untergerührt wird. Den Spinat etwa 3 Minuten braten, abschmecken und sofort servieren.

Möhren mit Kümmel

Dieses Gericht läßt sich auch mit älteren Möhren zubereiten, die dann in kleine Stäbchen (etwas größer als streichholzdicke Stifte) oder gleichmäßige Scheiben geschnitten werden müssen. Falls Kümmel nicht zu Ihren Lieblingsgewürzen zählt, können Sie statt dessen auch Fenchelsamen verwenden, der ebenfalls gut zu Möhren und Orangen paßt.

FÜR 4–6 PERSONEN
500 g ganze junge Möhren
2 EL Olivenöl
1 kleine Zwiebel, feingehackt
1 EL Kümmelsamen
ein kleines Stück Butter (nach Wunsch)
Saft von 1 Orange

Die Möhren in kochendes Wasser geben, das Wasser wieder zum Kochen bringen und nach 2 Minuten abgießen; die Möhren in einem Sieb abtropfen lassen.

Das Öl erhitzen, dann Zwiebeln und Kümmelsamen unter Rühren anbraten, bis die Zwiebeln glasig werden. Die Butter (nach Wunsch) hinzufügen und zerlassen, die Möhren in die Pfanne geben und 3 Minuten unter Rühren anbraten; anschließend den Orangensaft dazugießen.

Den Orangensaft auf großer Flamme aufkochen lassen (dabei die Möhren ständig rühren), bis der Saft zu einer leicht karamelisierten Sauce eingedickt ist, die das gesamte Gemüse mit einer gleichmäßigen, schmackhaften Glasur umgibt. Die Möhren sollten noch Biß haben, aber natürlich nicht mehr hart sein. Sofort servieren.

SPINAT MIT ÄPFELN UND WALNÜSSEN

Chop Suey

Dieses Gericht können Sie als Grundlage für eine Vielzahl von Speisen verwenden. Wenn Sie es mit kleingeschnittenen Hühnerfiletstückchen, Schweine- oder Rindfleisch kombinieren, erhalten Sie ein vollständiges Hauptgericht. Sie können aber auch gegarte Garnelen (falls sie tiefgefroren sind, erst auftauen lassen) und Bohnensprossen nehmen oder Gemüse der Saison (oder der Salattheke im Supermarkt) verwenden. Aber denken Sie daran, daß Bohnensprossen der wichtigste Bestandteil eines gelungenen Chop Suey sind.

FÜR 4 PERSONEN

- 2 TL Maisstärke
- 2 EL Sojasauce
- 1 EL trockener Sherry
- 2 EL Öl
- 1 TL Sesamöl
- 1 Stangensellerie, in feine, kurze Streifen geschnitten
- 1 grüne Paprikaschote, entkernt und in feine, kurze Streifen geschnitten
- ½ Zwiebel, in dünne Scheiben geschnitten
- 350 g Bohnenkeimlinge

Die Maisstärke mit Sojasauce, Sherry und 2 Eßlöffel Wasser verrühren und beiseite stellen.

Das gesamte Öl erhitzen, dann Sellerie, Paprika und Zwiebeln 5 Minuten unter Rühren braten. Das Gemüse sollte gerade gar sein, aber noch Biß haben. Nun die Bohnensprossen hinzufügen und 1 Minute garen. Dann die Maisstärkemischung kurz durchrühren, langsam in die Pfanne gießen und unter ständigem Rühren zum Kochen bringen. Nach 2 Minuten noch einmal durchrühren und sofort servieren.

KÜRBIS MIT PORREE

CHOP SUEY

Kürbis mit Porree

Meines Erachtens ist das Pfannenrühren eine der besten Zubereitungsmethoden für Kürbisse – das Gemüse zerfällt nicht, wird aber etwas zarter. Wenn Sie noch einige Frühstücksspeckwürfel zum Porree geben und das Ganze braten, erhalten Sie eine schmackhafte Abendmahlzeit.

FÜR 4 PERSONEN

- 2 EL Öl
- ein kleines Stück Butter
- 1 Knoblauchzehe, zerdrückt (nach Wunsch)
- 2 Porreestangen, in Scheiben geschnitten
- 2 TL Zimt
- 50 g Sultaninen
- 500 g Kürbisfleisch, grob gewürfelt
- Salz und frisch gemahlener schwarzer Pfeffer

Das Öl und die Butter erhitzen, bis die Butter zerläuft, dann Knoblauch (nach Wunsch), Porree, Zimt und Sultaninen hinzufügen. Den Porree etwa 5 Minuten unter Rühren garen, bis er zart wird.

Nun den Kürbis dazugeben, mit Pfeffer und Salz abschmecken und solange braten (etwa 7–10 Minuten), bis die Würfel zart, aber noch nicht matschig sind. Sofort servieren.

Rote Beete mit Meerrettich

FÜR 4 PERSONEN

4 EL Öl
2 Zwiebeln, halbiert und in dünne Scheiben geschnitten
450 g gekochte Rote Beete, in kleine Würfel geschnitten
Salz und frisch gemahlener schwarzer Pfeffer
3 EL frischer gehackter Dill
4 EL Meerrettich
100 ml saure Sahne

Das Öl erhitzen und die Zwiebeln 10 Minuten unter Rühren anbraten, bis sie leicht gebräunt sind. Rote Beete und Gewürze hinzufügen und weitere 5 Minuten garen, um die Rote Beete vollkommen zu erhitzen und mit dem Aroma der Zwiebeln zu verbinden. Dann den Dill unterrühren und die Rote Beete in eine Servierschüssel geben.

Den Meerrettich mit der sauren Sahne verrühren und über die Rote Beete träufeln. Sofort servieren, wobei die Meerrettichsauce unter das Gemüse gehoben wird.

KORIANDER-KARTOFFELN

Koriander-Kartoffeln

Koriander gehört zu meinen Lieblingsgewürzen – auf neuen Kartoffeln vollbringt es wahre Wunder, indem es ihr köstlich frisches Aroma perfekt abrundet.

FÜR 4 PERSONEN
1 kg kleine neue Kartoffeln, gründlich gewaschen und gekocht
Salz und frisch gemahlener schwarzer Pfeffer
2 TL Streuzucker
2 EL Zitronensaft
4 EL Olivenöl
3 EL Koriandersamen, zerdrückt
ein Streifen Zitronenschale
4 EL kleingeschnittener Schnittlauch

Die Kartoffeln in leicht gesalzenem, kochenden Wasser 10–15 Minuten garen, bis sie durch sind; anschließend abtropfen lassen. Den Zucker unter Rühren im Zitronensaft auflösen.

Das Öl erhitzen und den Koriander 2 Minuten unter Rühren anbraten. Die Zitronenschale hinzufügen und eine weitere Minute garen, wobei die Schale mit einem Löffel gegen den Pfannenboden oder -rand gedrückt wird, damit sie ihr Aroma abgibt. Nun die Kartoffeln in die Pfanne geben und etwa 10 Minuten unter Rühren anbraten, bis sie außen leicht gebräunt sind.

Den gezuckerten Zitronensaft über die Kartoffeln gießen und sorgfältig mit dem Öl in der Pfanne verrühren, so daß sich die beiden Flüssigkeiten zu einer Sauce verbinden. Dann den Schnittlauch dazugeben, abschmecken und sofort servieren.

Weizenschrot mit Zucchini

Weizenschrot wird häufig mit Bulgur verwechselt – dabei handelt es sich beim Weizenschrot um grob gemahlene Weizenkörner, während Bulgur zuvor gekocht und wieder getrocknet wird.

FÜR 4 PERSONEN
100 g Weizenschrot
4 EL Olivenöl
ein Streifen Zitronenschale
1 Lorbeerblatt
2 Rosmarinzweige
1 Zwiebel, feingehackt
25 g Mandelsplitter
250 g kleine Zucchini, in dünne Scheiben geschnitten
Salz und schwarzer Pfeffer
reichlich frische gehackte Petersilie
Zitronenstücke, zum Garnieren (nach Wunsch)

Den Weizenschrot in einem Haarsieb und fließendem, kalten Wasser gründlich abspülen und anschließend mit viel kaltem Wasser in einem großen Topf aufsetzen. Das Ganze zum Kochen bringen, dann die Hitze reduzieren, so daß das Wasser nur noch leise köchelt. Den Weizenschrot 20 Minuten garen, bis er weich ist; anschließend abtropfen lassen und beiseite stellen.

Das Öl erhitzen; Zitronenschale, Lorbeerblatt, Rosmarin und Zwiebeln etwa 10 Minuten unter Rühren anbraten, bis die Zwiebeln glasig werden und die Kräuter ihr Aroma abgeben. Die Mandelsplitter bereits nach 5 Minuten hinzufügen, damit sie leicht gebräunt werden.

Nun die Zucchini dazugeben und etwa 2 Minuten braten, bis sie gerade gar sind – auf diese Weise kommt ihr Geschmack am besten zur Geltung. Die Gewürze darüberstreuen, dann den Weizenschrot in die Pfanne geben und etwa 1 Minute unter Rühren braten, damit sich die Zutaten gut vermischen.

Das Ganze mit viel Petersilie bestreuen und die Rosmarinzweige gegebenenfalls vor dem Servieren entfernen oder zum Garnieren verwenden. Dazu reichen Sie Zitronenstücke (nach Wunsch), deren Saft direkt vor dem Verzehr über die Zucchini und den Weizenschrot geträufelt wird.

Blumenkohl-Sellerie-Gemüse

FÜR 4–6 PERSONEN

3 EL Öl
1 kleine Zwiebel, halbiert und in dünne Scheiben geschnitten
1/2 kleiner Blumenkohl, in kleine Röschen zerbrochen
1 Stangensellerie, in dünne Scheiben geschnitten
Salz und frisch gemahlener schwarzer Pfeffer
50 g schwarze Oliven, entsteint, in Scheiben geschnitten
1 süßer Apfel, ohne Kerngehäuse und grob gehackt
1 EL Kapern, gehackt
1 EL brauner Rohzucker
1–2 EL Apfelweinessig

Das Öl erhitzen und die Zwiebeln etwa 5 Minuten unter Rühren anbraten, dann Blumenkohl und Sellerie hinzufügen. Das Gemüse braten, bis es leicht gegart ist und noch Biß hat – es darf allerdings nicht mehr roh schmecken. Dies dauert je nach Gartemperatur und Pfannengröße etwa 15 Minuten.

Pfeffer und Salz, Oliven, Apfel und Kapern hinzufügen und weitere 2 Minuten unter Rühren garen. Dann mit einer Schöpfkelle eine Vertiefung in das Gemüse drücken und den Zucker sowie 1 Eßlöffel Essig hinzugeben. Zucker und Essig so lange verrühren, bis sich der Zucker auflöst, dann das Gemüse unterziehen. Abschmecken (eventuell den restlichen Essig hinzufügen) und sofort servieren.

Brokkoli mit Avocado

FÜR 4 PERSONEN

500 g junger Brokkoli, in kleine Stücke geschnitten
2 Avocados, halbiert, entsteint, geschält und fein gewürfelt
Saft von 1/2 Zitrone
3 EL Olivenöl
2 Frühlingszwiebeln, gehackt
Salz und frisch gemahlener schwarzer Pfeffer
einige Basilikumstengel (Blätter verwenden)

Den Brokkoli so in kleine Stücke schneiden, daß das Gemüse gleichmäßig garen kann. Die Avocado mit Zitronensaft beträufeln, damit sie sich nicht verfärben.

Das Öl erhitzen, Brokkoli und Frühlingszwiebeln etwa 5 Minuten unter Rühren anbraten, bis sie gerade gar sind. Gewürze und Avocadowürfel hinzufügen und 1 weitere Minute garen, bis die Avocados vollständig erhitzt sind. Die Basilikumblätter unterrühren und sofort servieren.

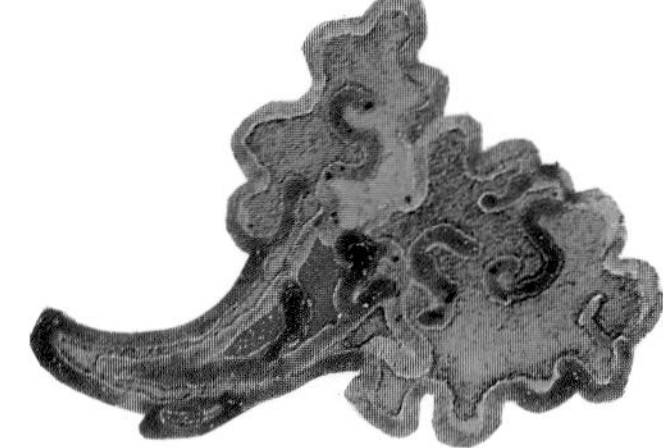

BLUMENKOHL-SELLERIE-GEMÜSE

DESSERTS

Auch wenn der Gedanke an ein Dessert aus dem Wok auf den ersten Blick etwas befremdlich erscheint, läßt sich nicht bestreiten, daß bei den hier vorgestellten Gerichten niemand auf die Idee käme, skeptisch die Brauen zu runzeln, wenn sie mit einer herkömmlichen Methode zubereitet worden wären.

Die hauptsächlich aus Obst und Früchten bestehenden Gerichte bleiben stets im vernünftigen Rahmen; da aber bestimmte Früchte auf unbeschichtetem Metall eine chemische Reaktion hervorrufen, empfiehlt es sich, statt eines Eisenwoks eine große Edelstahlpfanne oder eine Kasserolle zu verwenden. Diese Gerichte können ruhig als zweiter Gang der Mahlzeit serviert werden – solange Sie eine ausgewogene Mischung von Zutaten verwenden, dürfte beim Pfannenrühren nichts schiefgehen. Aber denken Sie daran, eine saubere Pfanne bereitzuhalten. Da sich einige Obstsorten nach der Vorbereitung schnell verfärben, sollten Sie sie mit etwas Zitronensaft besprenkeln und in geschlossenen Behältern aufbewahren, vor allem wenn Sie sie lange im voraus vorbereiten.

BIRNEN IN CASSIS

Birnen in Cassis

FÜR 4 PERSONEN
8 kleine, feste Birnen, geschält, ohne Kerngehäuse und geviertelt
Saft von 1 großen Orange
ein kleines Stück Butter
100 ml Cassis (Schwarzer Johannisbeer-Likör)
4 EL Mandelblättchen, geröstet
Schwarze Johannisbeerzweige oder halbierte Orangenscheiben, zum Garnieren
Schlagsahne, zum Servieren

Die Birnen in den Orangensaft legen. Die Butter zerlassen, dann die Birnen hinzufügen (den Saft nicht weggießen) und unter Rühren braten, bis sie weich sind, aber ihre Form noch nicht verlieren.

Orangensaft und Cassis über die Birnen gießen und sorgfältig umrühren, damit die Früchte gleichmäßig mit Sauce bedeckt sind. Die Birnen auf vier Teller verteilen und mit Mandelblättchen bestreuen. Das Ganze mit den Johannisbeerzweigen (falls erhältlich) oder halbierten Orangenscheiben garnieren. Sofort servieren und Schlagsahne dazu reichen.

Früchte in Ahornsirup

Die Birnen sollten noch relativ fest, aber nicht hart sein.

FÜR 4 PERSONEN
4 feste Birnen, geschält, ohne Kerngehäuse und der Länge nach in dicke Scheiben geschnitten
2 feste, reife Pfirsiche, geschält, entsteint und in dicke Scheiben geschnitten
Saft von 1 Zitrone
50 g Butter
250 g Erdbeeren
6 EL Ahornsirup

Die Birnen- und Pfirsichscheiben mit Zitronensaft besprenkeln, aber getrennt aufbewahren. Nun die Butter zerlassen und die Birnen auf großer Flamme unter Rühren anbraten, bis sie an den Kanten leicht gebräunt sind.

Dann die Pfirsichscheiben hinzufügen und eine weitere Minute garen, bis sie vollständig erhitzt sind. Die Erdbeeren, den restlichen Zitronensaft und den Ahornsirup dazugeben, die Früchte kurz durchrühren und anbraten, damit sie gleichmäßig mit Sirup bedeckt sind. Die Früchte auf vier Teller verteilen und sofort servieren.

DER KÜCHENCHEF EMPFIEHLT

Die Pfirsiche zum Schälen in eine hitzebeständige Schüssel legen und mit kochend heißem Wasser bedecken. Etwa 1 Minute stehen lassen (bei festen Früchten dauert es eventuell 1½–2 Minuten, bis die Haut sich löst, während reife Früchte schon nach 45 Sekunden soweit sind). Falls Sie die Pfirsiche zu lange im heißen Wasser lassen, beginnen sie zu garen und werden weich.

Die Pfirsiche gut abtropfen lassen und die Haut mit der Messerspitze einritzen; sie sollte sich dann ganz leicht abziehen lassen. Denken Sie daran, geschnittene oder gehäutete Pfirsiche mit Zitronensaft zu besprenkeln, damit sie sich nicht verfärben.

Möhrendessert

Die Anregung zu diesem ungewöhnlichen Rezept gab die indische Nachspeise »Möhren-Halva«.

FÜR 4–6 PERSONEN
50 g Butter
50 g Mandelsplitter
500 g Möhren, fein geraspelt
100 g Streuzucker
2 EL Rosenwasser
Saft von 3 Orangen
Schlagsahne, zum Servieren

Die Butter zerlassen, die Mandelsplitter unter Rühren darin rösten, bis sie leicht gebräunt sind, mit einem Schaumlöffel herausnehmen und auf Küchenpapier abtropfen lassen.

Dann die Möhren in die in der Pfanne verbliebene Butter geben und 15 Minuten unter Rühren braten, bis sie eine leuchtend goldene Farbe besitzen. Zucker und Rosenwasser unterrühren, bis der Zucker schmilzt. Das Ganze unter ständigem Rühren weitergaren und alle paar Minuten etwas Orangensaft hinzufügen, damit die Möhren schön feucht bleiben. Sobald der Orangensaft vollständig verarbeitet ist, die Mischung unter ständigem Rühren so lange garen, bis sämtliche überschüssige Flüssigkeit verdampft ist und die Möhrenraspel weich und saftig sind – das dauert insgesamt etwa 10–15 Minuten.

Die Möhrenmischung in eine Servierschüssel geben und mit den Mandelsplittern bestreuen. Sobald das Dessert etwas abgekühlt und nur noch lauwarm ist, mit Schlagsahne garnieren und sofort servieren. Das Möhrendessert kann aber auch im Kühlschrank gekühlt und kalt serviert werden.

MÖHRENDESSERT

CŒUR À LA CRÈME MIT GEWÜRZPFLAUMEN

Cœur à la crème mit Gewürzpflaumen

Die *cœur à la crème* wird traditionell in kleinen herzförmigen Schälchen bereitet, deren Boden perforiert ist. Dadurch kann die Käsemischung abtropfen und wird so fest, daß sie sich stürzen läßt. Bereiten Sie die *cœur à la crème* am Vortag, damit sie genügend Zeit zum Setzen hat.

FÜR 4 PERSONEN
200 g Frischkäse
4 EL Streuzucker
150 ml Schlagsahne, leicht geschlagen
ein kleines Stück Butter
450 g feste Pflaumen, halbiert und entsteint
2 TL Zimt
1/4 TL gemahlene Gewürznelken
100 g Zucker

Den Frischkäse mit dem Zucker schaumig rühren, dann die Schlagsahne unterziehen. Anschließend den Boden von vier Auflaufförmchen mit einem Kreis aus Wachspapier bedecken, die Käsemischung auf die Förmchen verteilen und mit einem Löffel festdrücken. Jedes Förmchen mit einem kleinen Seihtuch bedecken und die Tücher mit Gummibändern strammziehen, so daß sie fest über den Förmchen sitzen. Dann die Förmchen auf ein Kuchengitter stürzen, das auf einer flachen Schale ruht, und den Käse 24 Stunden kühlen.

Vor dem Servieren die Seihtücher entfernen und mit einer Messerklinge am Innenrand der Förmchen entlangfahren, damit sich der Käse besser löst. Nun jedes Förmchen auf einen Dessertteller stürzen und kühlstellen, bis die Pflaumen zubereitet sind.

Die Butter zerlassen und die Pflaumen unter Rühren 1 Minute anbraten, die Gewürze hinzufügen und weitere 2 Minuten garen. Nun den Zucker dazugeben und unter sanftem Rühren kochen, bis die Flüssigkeit von den Pflaumen abperlt und der Zucker sich in einen würzigen Sirup verwandelt hat.

Die Gewürzpflaumen neben der *cœur à la crème* arrangieren und sofort servieren.

Joghurt-Freuden

FÜR 4 PERSONEN
750 ml griechischer Joghurt (oder eine Mischung aus Joghurt und Sahnequark)
geriebene Schale und Saft von 1 Orange
3–4 EL klarer Honig
ein kleines Stück Butter
50 g Pistazienkerne, geschält
50 g Paranüsse, grob gehackt
4 EL Rosinen
2 feste Birnen, geschält, ohne Kerngehäuse und fein gewürfelt
100 g getrocknete Aprikosen, in Scheiben geschnitten
50 g kernlose Trauben, halbiert

Den Joghurt mit der Orangenschale und 1–2 Eßlöffeln Honig verrühren, dann auf vier Dessertteller verteilen und kühlstellen.

Die Butter zerlassen, Pistazien, Paranüsse und Rosinen hinzufügen und 3 Minuten unter Rühren rösten. Die Birnen dazugeben und weitere 3 Minuten braten, bis sie leicht gegart sind. Dann die Aprikosen und den Orangensaft unterrühren und zum Kochen bringen. Das Ganze etwa 2 Minuten unter ständigem Rühren kochen lassen, um den Orangensaft zu reduzieren.

Nun die Trauben und den restlichen Honig (nach Geschmack) hinzufügen und vollständig erhitzen. Die Frucht-Nuß-Mischung mit einem Löffel auf den gekühlten Joghurt geben und sofort servieren.

Ratafia-Kirschen

Bei den Ratafia-Plätzchen handelt es sich um kleine Mandelmakronen, die im Delikatessengeschäft erhältlich sind.

FÜR 4 PERSONEN
50 g Butter
500 g Kirschen, entsteint
1 EL klarer Honig
4 EL Kirschwasser
100 g Ratafia-Makronen
Schlagsahne, Frischkäse oder Naturjoghurt, zum Servieren

Die Butter zerlassen und die Kirschen 3–5 Minuten unter Rühren braten, bis sie ihre Farbe verändern, aber nicht zu weich werden oder platzen.

Honig und Kirschwasser hinzufügen und sorgfältig mit den Kirschen verrühren. Die Pfanne von der Flamme nehmen, die Ratafia-Makronen dazugeben und kräftig unterrühren. Anschließend die Frucht-Makronen-Mischung auf vier Dessertteller verteilen, jede Portion mit Sahne, Frischkäse oder Joghurt garnieren und sofort servieren.

JOGHURT-FREUDEN

MANGO- UND BANANENSCHEIBEN

Mango- und Bananenscheiben

FÜR 4 PERSONEN
4 Scheiben Rührkuchen
4 EL Sherry
50 g Butter
1 reife, aber feste Mango, geschält, entsteint und in Scheiben geschnitten
3 EL Rotes Johannisbeergelee
3 Bananen, in Scheiben geschnitten
2 EL Orangensaft

Die Kuchenscheiben auf vier Dessertteller verteilen und mit jeweils einem Löffel Sherry beträufeln.

Die Hälfte der Butter zerlassen und die Mangoscheiben 1–2 Minuten unter Rühren braten, bis sie vollständig erhitzt sind. Johannisbeergelee hinzufügen und eine weitere Minute garen, bis das Gelee schmilzt und die Mangoscheiben überzieht. Die Mangoscheiben auf dem Kuchen arrangieren. Auch die restliche Flüssigkeit in der Pfanne über die Mangos verteilen.

Nun die restliche Butter zerlassen und die Bananenscheiben unter kräftigem Rühren braten, bis sie vollständig erhitzt sind. Den Orangensaft über die Bananen träufeln und das Ganze ein paar Sekunden erhitzen. Dann die Bananenscheiben auf die Mangos geben und sofort servieren.

Bananen-Avocado-Müsli

FÜR 4 PERSONEN
2 reife Avocados
2 Bananen
Saft von 1 Zitrone
2 EL Puderzucker
150 ml Schlagsahne, geschlagen
50 g Butter
4 dicke Scheiben Weißbrot, ohne Kruste, zu Brotkrumen zerbröselt
100 g Walnüsse, gehackt
4 EL brauner Rohzucker
1 TL Zimt

Die Avocados halbieren, entsteinen und schälen; das Avocadofleisch mit Hilfe einer Gabel unter die Bananen und den Zitronensaft kneten und den Puderzucker unterrühren. Etwas Schlagsahne zum Garnieren beiseite stellen und später in einen Spritzbeutel mit Sterntülle füllen. Die restliche Sahne unter die Avocadomischung heben und das Ganze in einem geschlossenen Behälter im Kühlschrank kühlen.

Nun die Butter zerlassen und die Brotkrumen unter Rühren rösten, bis sie goldbraun und knusprig sind. Walnüsse, Zucker und Zimt hinzufügen und kurz aufkochen, dann etwas abkühlen lassen.

Die Hälfte der Avocado-Mischung auf vier Dessertschälchen verteilen und mit der Hälfte der Brotkrumen-Mischung bestreuen. Dann die restliche Avocado-Mischung darübergeben und mit den restlichen Brotkrumen krönen. Jedes Schälchen mit einem Klacks Schlagsahne aus dem Spritzbeutel garnieren und sofort servieren.

BANANEN-AVOCADO-MÜSLI

Pudding mit karamelisierten Früchten

Sie können statt der unten aufgeführten Früchte auch Obstsorten der jeweiligen Jahreszeit verwenden oder – je nach Budget – exotische Früchte wie Mango und Papaya mit Birnen- oder Ananasstückchen kombinieren bzw. einige Äpfel goldbraun braten und mit Rosinen und einem Schuß Rum garnieren.

FÜR 4 PERSONEN

600 ml Milch
2 Eier
2 Eigelb
3 EL Zucker
ein kleines Stück Butter
1 EL Walnußöl
1 Ananas, geschält, entkernt und grob gewürfelt
4 EL Orangensaft
50 g brauner Zucker
4 Orangen, geschält und in Scheiben zerteilt

Den Backofen auf 170 °C vorheizen. Ein Backblech mit hohem Rand und einen Kessel mit kochendem Wasser bereithalten. Vier Auflaufförmchen mit Butter einfetten. Die Milch fast zum Kochen bringen, dann schnell von der Flamme nehmen.

Eier und Eigelb mit dem Zucker verrühren und unter die Milch schlagen. Die Puddingmischung durch ein Sieb in die Förmchen gießen und die Förmchen auf das Backblech stellen. Nun das kochende Wasser um die Förmchen gießen, bis sie zu zwei Dritteln im Wasser stehen. Die Förmchen mit eingefettetem Wachspapier abdecken und 40 Minuten backen, bis die Puddingmasse fest ist. Auf dem Backblech abkühlen lassen und dann – vorzugsweise über Nacht – sorgfältig kühlen.

Die Puddingförmchen vor der Zubereitung der Ananas auf vier Dessertteller stürzen. Dann die Butter zusammen mit dem Walnußöl erhitzen und die Ananas 3 Minuten unter Rühren braten. Orangensaft hinzufügen und den braunen Zucker unterrühren. Das Ganze unter ständigem Rühren kochen, bis der Zucker schmilzt und die Flüssigkeit brodelt; einige Minuten köcheln lassen, bis der Sirup eingedickt und karamelisiert ist.

Die Pfanne von der Flamme nehmen und die Orangenscheiben dazugeben, gut durchrühren und auf die Puddingteller verteilen. Sofort servieren.

Zimtäpfel und Aprikosen

FÜR 4 PERSONEN

4 Äpfel, geschält, ohne Kerngehäuse und geviertelt
Saft von 1/2 Zitrone
4 EL Streuzucker
1 EL Zimt
ein kleines Stück Butter
450 g frische Aprikosen, halbiert und entsteint

Die Apfelviertel mit dem Zitronensaft besprenkeln. Zucker und Zimt mischen und die feuchten Apfelstücke darin wälzen, bis sie gleichmäßig mit Zucker und Zimt bedeckt sind.

Die Butter zerlassen und die Äpfel unter Rühren anbraten, bis sie von außen leicht karamelisiert sind. Nun die Aprikosen hinzufügen und weitere 3 Minuten (je nach Reife der Aprikosen) garen, bis die Aprikosenhälften weich und vollständig erhitzt sind. Dann die Apfel-Aprikosen-Mischung auf vier Dessertteller verteilen und sofort servieren.

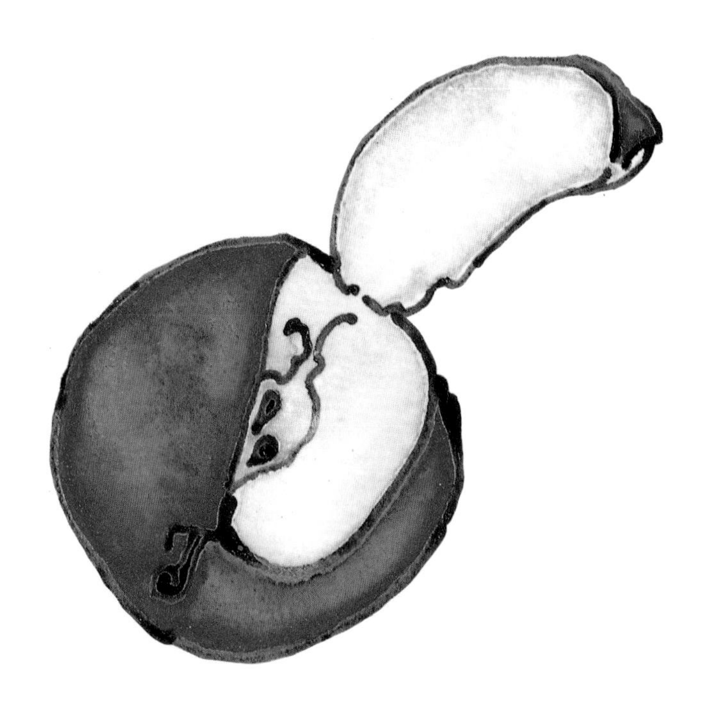

REGISTER